NORTHLAKE PUBLIC LIBRARY DISTRICT
3 1138 00183 6015

S0-BDL-280

Después del silencio

Divulgación/Autoayuda

Últimos títulos publicados

207. A. M. Fletcher - *Cómo dejar el alcohol*
208. T. Ronen y Ayelet - *Luchar contra la anorexia*
209. W. J. Howard - *Matemáticas sencillas*
210. S. Nolen-Hoeksema - *Mujeres que piensan demasiado*
211. E. Lukas - *Equilibrio y curación a través de la logoterapia*
212. A. Berger y A. Ketterer - *¿Por qué limitarse a soñarlo? Lo que las mujeres quieren saber realmente sobre el sexo*
213. R. Brooks y S. Goldstein - *El poder de la resiliencia*
214. A. N. Crocco - *La dieta de Alicia Crocco*
215. M. Sebastiani y M. R. M. Testa - *Claroscuros del embarazo, el parto y el puerperio*
216. D. J. Miklowitz - *El trastorno bipolar*
217. E. Czernikowski - *El amor, el humor y el dolor*
218. C. Coria, A. Freixas y S. Covas - *Los cambios en la vida de las mujeres*
219. E. Lukas - *Libertad e identidad. Logoterapia y problemas de adicción*
220. Ph. Brenot - *El sexo y el amor*
221. M.-F. Cyr - *¿Verdad o mentira?*
222. Ch. C. Manz - *Disciplina emocional*
223. P. Race - *Cómo estudiar*
224. B. O'Hanlon - *Crecer a partir de las crisis*
225. R. Cava - *Cómo tratar con personas difíciles*
226. E. Lukas - *Ganar y perder. La logoterapia y los vínculos emocionales*
227. C. Poch - *Catorce cartas a la muerte (sin respuesta)*
228. E. M. Hetherington y J. Kelly - *En lo bueno y en lo malo: la experiencia del divorcio*
230. R. Iacub - *Erótica y vejez*
231. M. Bosqued - *Mobbing*
232. E. J. Langer - *La creatividad consciente*
233. M. McKay y B. Quick - *Los diálogos del compromiso*
234. B. Sher - *Vive la vida que deseas. Diez sencillos pasos para alcanzar tus sueños*
236. D. D. Burns - *Adiós, ansiedad. Cómo superar la timidez, los miedos, las fobias y las situaciones de pánico*
237. G. W. Burns y H. Street - *La felicidad no es un secreto. Descubre el camino del equilibrio interior y el poder de cambiar tu vida*
238. J. Moix - *Cara a cara con tu dolor. Técnicas y estrategias para reducir el dolor crónico*
239. A. Aparicio y T. Muñoz - *Después del silencio. Cómo sobrevivir a una agresión sexual*

Ángela Aparicio y Toñi Muñoz

Después del silencio

Cómo sobrevivir a una agresión sexual

PAIDÓS
Barcelona
Buenos Aires
México

Cubierta de Mª José del Rey
Imagen de cubierta: Stock Photos

Ediciones Paidós Ibérica, S.A.,
Av. Diagonal, 662-664 - 08034 Barcelona
http://www.paidos.com

ISBN: 978-84-493-1954-9
Depósito legal: B. 44.993/2006

Impreso en Hurope, S.L.
Lima, 3 - 08030 Barcelona

Impreso en España - Printed in Spain

A mi hijo Toni, que me ha permitido recuperar la ilusión de la infancia

TOÑI

A mis padres, que me han dado lo mejor de sí mismos

ÁNGELA

Cuando un árbol joven es herido, crece alrededor de esa herida. A medida que el árbol se desarrolla, la herida se vuelve relativamente pequeña en proporción al tamaño del árbol. Los nudos retorcidos y las ramas deformadas nos hablan de lesiones y obstáculos que encontró en el pasado y que superó. El modo en que el árbol crece alrededor de su pasado contribuye a su exquisita individualidad, a su carácter y a su belleza.

PETER A. LEVINE

Sumario

Agradecimientos

A todas y todos los supervivientes que han compartido sus historias conmigo, por mostrarme el camino de la supervivencia y enseñarme la fuerza que se esconde debajo de las heridas. Y, de manera especial, a Toñi, por embarcarse conmigo en la aventura de este libro.

A Guillem Feixas, que me abrió la puerta al mundo de la psicoterapia, me animó a escribir este libro y tanto me ha ayudado en su publicación.

A Paidós, por confiar en nosotras y, en especial, a Claudia Casanova, por su amabilidad y sus sugerencias para mejorar este texto.

A Cristina Mateu, que supervisó mi trabajo con supervivientes, por creer en mí cuando yo no podía hacerlo y enseñarme a encontrar mis propios recursos. Por sus sugerencias para mejorar el libro y por lo mucho que me ha enseñado y ha compartido conmigo. Este libro también es un poco suyo.

A Mª José Pubill, que supervisó mi trabajo de fin de máster, por enseñarme que la coherencia personal es más importante que la coherencia teórica.

A Montse Blanco, por las conversaciones compartidas y por recordarme tantas veces que los psicoterapeutas somos eternos aprendices.

A Carlos Ávila, que me reveló la importancia de estar conectada con mi cuerpo y fue una puerta abierta a otras formas de ver la realidad.

A Jacqueline Hitchcock, por mostrarme otra forma de hacer psicoterapia —a través de la hipnosis y la PNL (Programación Neurolingüística)—, por su generosidad como maestra, por su lúcida aportación al libro y por leer y comentar conmigo parte del borrador.

A Marina Solsona, que me introdujo en el mundo de las Constelaciones Familiares y sabe llegar a lo complejo desde la sencillez, por todo su apoyo.

A Sylvia Kabelka y el grupo de formación en Constelaciones Familiares, por haber enriquecido mi experiencia personal durante todo este tiempo.

A Luz y Ruth, sin las cuales el camino habría sido mucho más árido. Por su entusiasmo y su entrega como voluntarias, por su valiosa colaboración en el libro y, sobre todo, por su amistad.

A Imma, por revisar y corregir exhaustivamente múltiples borradores del libro, por ayudarme a ordenar mis ideas, por sus sugerencias y por su aportación escrita. Pero, sobre todo, por ser mi amiga del alma.

A Artur, por formularme las preguntas más espinosas. Por su aportación al libro, por la aventura de la narrativa, por su amistad y su humor corrosivo.

A Heinrich, que me hizo vislumbrar lo importante que es dar voz a los clientes (también fuera de la psicoterapia), por su amistad y por los proyectos pendientes; y a Marta, por su entusiasmo y por la oportunidad de volvernos a encontrar.

A Assumpta, por la luz que irradia.

A mis compañeros de trabajo del CAS de Reus, con quienes comparto el día a día, por su apoyo y por mostrarme la riqueza del trabajo en equipo.

A Concha y Xavi, Jordi, Mª Carmen, Cecilio, Diego, José, Ana, Karmele, Vicky y Gerard…, por su amistad y por seguir estando ahí.

A Toni y Nati, por abrirme las puertas de su casa y de su corazón.

A Mª Pepa, por ese hilo invisible que nos ha mantenido unidas en la distancia.

A todas las personas de mi familia (tanto presentes como ausentes), a quienes tanto debo, y especialmente a mi padre, por confiar en mí desde el principio y enseñarme a ver el lado bueno de las cosas; a mi madre, por su generosidad y por revisar una parte del borrador y alentarme a seguir adelante, y a Mary y Esther, que son las hermanas que no he tenido.

Y, sobre todo, a Blanca, porque sin ella quizá no lo habría conseguido. Por su paciencia, su apoyo, su valentía y su humor y por atreverse a hacer el viaje de vuelta a la vida conmigo.

Finalmente, a todas las personas que no he mencionado —la lista sería inacabale— pero que también han aportado su granito de arena.

ÁNGELA APARICIO

Presentación

¿Cómo surgió este libro?*

Yo sufrí abusos sexuales en mi infancia. No sólo fueron sexuales, pues también había abusos psicológicos, ya que durante todos esos años viví amenazada y atemorizada por mi agresor. Todo ocurrió en silencio, mi silencio sobre lo ocurrido durante once años. Ahora, después de una larga y dura lucha interna, de demasiado tiempo de silencio y de dos años de intensa terapia, yo, que siempre creí ser tan frágil, he comprendido que soy una dura superviviente, que tengo un alma muy resistente y aun después de una cruel historia he sobrevivido, no intacta, pero sí muy entera.

Viví dos vidas paralelas en una misma existencia. Por una parte, una dulce infancia protegida en casa, con mis padres y mis hermanos. Por otra con mi agresor, que me privó de libertad. Durante muchos años no fui capaz de hablar sobre los abusos, ni siquiera conmigo misma. Éstos ocurrían casi a diario, pero cuando me marchaba de su lado yo debía desconectar de aquello y pasar a mi otra vida como si eso no hubiese ocurrido. Así que me pasé parte de mi existencia inventando cosas y mintiendo a todos para que nadie su-

* Todos los fragmentos en cursiva han sido escritos por Toñi Muñoz. (*N. del e.*)

piese qué es lo que estaba sucediendo. Era algo que él me pedía, SILENCIO.

Casi todas las amenazas estaban relacionadas con la vida de mi padre o con que mis padres y mis hermanos me abandonarían si yo abría la boca. Aquel miedo era más fuerte que mi necesidad de quejarme, llorar o pedir ayuda. Cuando llegaba a casa me sentía protegida y pensaba que vivía una vida de prestado, algo que no merecía por mala. Aquel hombre no diría nada de lo mala que yo era para que mi familia me siguiese queriendo. Él me regalaba mi vida. ¡Qué absurda contradicción! Y así continuó mi existencia en un pasar de días, de años, sin una sola palabra de lo que estaba viviendo.

En junio de 1989 murió mi padre; fue entonces cuando empecé a tener serios problemas de supervivencia. Aparecieron muchos miedos, angustia y empecé a ir como un barco a la deriva. Entonces comencé a escribir. Si me sentía sola, si estaba triste y abatida, si sentía dolor o miedo, cualquier cosa, cogía una hoja y escribía —incluso cartas a mi padre— y después lo escondía en algún lugar de mi habitación. Hasta que me di cuenta de que mi madre leía aquellas cosas —por muy bien que las guardase a veces no estaban como yo las había dejado— y terminé por romperlas cuando había terminado de escribirlas.

También comenzó mi búsqueda en los libros para calmar mi sufrimiento. Libros sobre budismo, depresiones, autoayuda, terapias; leía cualquier cosa, artículos sobre la mente, sobre la vida y también sobre la muerte. La muerte, algo que deseé tan fuertemente y durante tanto tiempo que me costó horrores descubrir que aquélla era una estúpida y absurda salida.

Necesitaba encontrar un libro sobre una mujer o un hombre que dijese abiertamente: «Yo he sufrido abusos sexuales en la infancia y después he conseguido ser feliz». Eso exactamente es lo que yo buscaba. Bien, eso desgraciadamente no lo encontré, pero después de todo puedo considerarme una persona afortunada. En febrero de 1998 conocí a Ángela, una persona noble y estupenda profesio-

nal. Ella me hizo descubrir lo interesante que era la vida, me enseñó a realizar normalmente las cosas más cotidianas sin ningún temor, me abrió una ventana al mundo y me hizo comprender que vivir no era tan difícil.

Casi dos años más tarde, al finalizar la terapia, Ángela me comentó que cabía la posibilidad de escribir un libro con mi historia. Desde el primer momento me pareció una gran idea. En mi vida he ganado muy pocas cosas y para mí es una tremenda alegría poderle gritar al mundo que, después de tantos años de silencio, en esto he ganado la batalla y la guerra.

En ningún momento hubo medias tintas, las dos nos empleamos a fondo durante todo el proceso de la terapia, y costó, ¡vaya lo que costó!, pero ha valido la pena, ya que nunca pensé que por mucha terapia que hiciera conseguiría algo parecido a lo que tengo.

Posiblemente alguna persona busque lo mismo que yo busqué durante años; pues bien, «yo sufrí abusos sexuales en mi infancia y he conseguido ser feliz». No es que crea que este libro sea una solución para ella, pero quizá sí un punto de referencia y puede que un alivio. Tampoco es un bello cuento infantil, pero sí una gran historia, con un final feliz.

Es bien cierto que, por muchos años que pasen, nunca podré olvidar esta historia, como a mí me hubiese gustado. Pero también recuerdo que me fracturé el brazo derecho siendo pequeña y, en otra ocasión, por no obedecer a mi hermana, me clavé un hierro en el brazo izquierdo y me pusieron un montón de puntos, pero ahora ya no me duele.

Eso mismo he logrado con los abusos, sé que están ahí, pero he conseguido dejar a un lado el dolor y la perpetua tristeza, para dar paso a la alegría.

La tristeza del mundo
Es sólo una sombra;
Detrás de ella,
Pero a nuestro alcance,

Está la alegría.
Coge la alegría.

FRA GIOVANNI

Hace algunos años empecé a trabajar en un centro que ofrecía atención psicológica y legal a adolescentes y mujeres adultas supervivientes de agresiones sexuales. Yo acababa de iniciar mi carrera profesional. Mi experiencia como psicoterapeuta no era mucha y mis conocimientos específicos sobre agresiones sexuales más escasos todavía. Durante el tiempo que trabajé allí dediqué cientos de horas a escuchar las historias de muchas mujeres, cada una de ellas única y, en algunos aspectos, todas muy similares. Compartían conmigo experiencias que, en algunos casos, ni siguiera imaginaba que pudieran existir. Noté el miedo en muchas de ellas, el dolor y la humillación, pero también el valor, el coraje, la esperanza e incluso el sentido del humor.

Me sorprendió descubrir que, a pesar de que sus agresores les habían tratado de arrebatar lo mejor de sus vidas, cosas tan valiosas como su infancia o la tranquilidad para ir por la calle sin miedo, habían conservado una gran capacidad para *sobrevivir*, para seguir adelante.

Compartir el espacio terapéutico con todas aquellas mujeres me generó muchas dudas, miedos, incertidumbre, esperanzas, proyectos..., pero sobre todo un gran respeto y admiración. Ellas me enseñaron que te pueden herir profundamente pero no por eso te roban la dignidad. En aquel espacio aprendimos y crecimos juntas.

Trabajar con supervivientes de abusos sexuales cambió radicalmente mi forma de entender la psicoterapia, porque me cambió como persona y también cambió mi mirada sobre la vida. Una vez has visto el horror con tus propios ojos ya no lo puedes seguir ignorando ni mirar para otro lado, porque el horror no es algo abstracto, no es una teoría ni los datos de una estadística, el horror tiene nombre propio. En mi recuerdo, está impreso en el rostro y en la mirada de personas que nunca olvidaré.

Por eso este libro no es un manual teórico, sino que simplemente pretendemos compartir contigo, lector o lectora, nuestra experiencia: la de Toñi, que ha vivido en sus propias carnes una agresión con todo lo que eso comporta, la mía, que he compartido mi tiempo con muchos supervivientes, y también la experiencia conjunta en la que ambas nos encontramos: en su proceso psicoterapéutico. Por lo tanto, se trata de un libro más práctico que técnico en el que poder encontrar algunas ideas, recursos y lugares donde poder recibir ayuda.

Desde que inicié mi trabajo con supervivientes de agresiones sexuales he ido leyendo todos los libros y artículos sobre el tema que han caído en mis manos. Mi primera sorpresa fue descubrir que, además del silencio que tienen que soportar las personas que son víctimas de agresiones, ha habido también durante décadas un silencio académico y social.

En los últimos años, en los medios de comunicación han empezado a aparecer noticias y programas que abordan las agresiones sexuales, no siempre con el respeto suficiente por las personas implicadas. En el campo de la psicología y la psiquiatría se han publicado bastantes artículos y libros, muchos de ellos excelentes. Desgraciadamente no todos están traducidos al castellano ni están escritos en un lenguaje que sea accesible a todos los públicos.

Otro hecho que me sorprendió fue que no encontré prácticamente nada dirigido a los hombres adultos, aunque las estadísticas dicen que un 10% de los hombres han sufrido abusos en la infancia. ¿Qué pasa con esos niños?, ¿es que se han perdido por el camino?, ¿no son ahora hombres adultos?, ¿acaso no están también ellos heridos?, ¿qué pasa con sus dificultades emocionales, sexuales, de relación, etc.?

Algunas personas, entre ellas Toñi en su día, me pedían material para leer, y la mayoría de las veces no sabía bien qué recomendarles. Una vez Toñi me dijo: «Yo querría saber qué sienten otras mujeres que han vivido una experiencia similar a la mía, qué piensan, cómo lo viven. Si hubiera algún libro que pudiera dar respuesta a algunas de estas preguntas que yo me hago a veces...». En aquel momento no supe qué decirle.

Tiempo después, Guillem Feixas me sugirió la idea de escribir algo sobre este tema. Mi negativa fue rápida: no sentía que tuviera nada nuevo que ofrecer, ninguna idea muy diferente de lo que ya estaba escrito. Sin embargo, tras un trabajo que escribimos Toñi y yo sobre su proceso de terapia y las conversaciones que tuvimos al respecto, la idea adquirió un matiz diferente. Toñi deseaba que este libro viera la luz, denunciar su experiencia de abuso, que otras personas que directa o indirectamente (pareja, familia) hayan tenido una vivencia de este tipo y los profesionales que trabajan con ellas se pudieran beneficiar de nuestro trabajo y de nuestra experiencia.

Al principio me ilusioné mucho, pero luego vino el pánico. Toñi lo tenía clarísimo: «Quiero escribir este libro y firmarlo con mi nombre». Empecé a dudar: «¿Y si esto es perjudicial para ella? ¿Y si tiene consecuencias que no hemos sopesado?». Toñi es una mujer capaz de tomar sus decisiones en la vida y ella había tomado esta decisión, pero eso no hacía que mi miedo disminuyera. Éste es un ejemplo de cómo los terapeutas a veces limitamos a nuestros clientes.

Mi miedo era conocido, el miedo a romper el silencio. Igual que los supervivientes, también quienes trabajamos con ellos tememos hablar. A veces los profesionales, amparados en nuestro compromiso de confidencialidad, nos volvemos cómplices de las injusticias sociales con las que trabajamos. Si ella lo tenía claro, ¿quién era yo para ponerlo en duda? Y así, gracias a la valentía y la convicción de Toñi, este libro ha visto la luz.

Las cosas más importantes que aprendemos los psicoterapeutas —al menos ése ha sido mi caso— nos las enseñan los clientes que nos hacen depositarios de su confianza y tienen el valor de compartir sus vidas, su dolor y sus esperanzas con nosotros. Por ello, por ser los verdaderos expertos, merecen tener la palabra y, en este caso, Toñi simboliza la voz de todas las personas que durante años han tenido que silenciar agresiones y abusos. Quizá sólo cuando se pueda hablar de estos temas en voz alta y con respeto logremos que desaparezcan. Por eso recomiendo a todos los lectores leer su relato con gran atención, porque ella es una verdadera experta en supervivencia.

¿Cómo está estructurado?

El libro está dirigido a *personas adultas* que en algún momento de sus vidas han sufrido agresiones sexuales independientemente de su género, por eso utilizaré indistintamente el masculino o el femenino, excepto en situaciones concretas que especificaré. En mi experiencia clínica he trabajado con muchas más mujeres supervivientes que hombres, pero confío en que el libro pueda ser útil para unos y otras. Sin embargo, los agresores siempre han sido hombres —excepto en un caso en el que fue una mujer—, por eso utilizaré el término en masculino.

He visto que la mayoría de libros hacen una distinción entre agresiones perpetradas contra adultos y agresiones perpetradas contra niños. Yo he decidido hablar simplemente de agresiones dirigidas contra personas, porque creo que los parecidos entre todas ellas son más grandes que las diferencias.

El libro está estructurado en varios capítulos que se pueden leer de manera independiente, sin que por ello la lectura pierda sentido o quede mermada.

En la breve introducción al campo de la violencia sexual que abre el libro se comentan las creencias sociales más extendidas sobre este tema y se revisan cuáles tienen una base real y cuáles son simples mitos populares.

El capítulo 1 está dirigido a supervivientes y se puede leer como un texto de autoayuda en el que encontrar información, ejercicios, propuestas y sugerencias que pueden ser de utilidad para quienes se enfrentan a una agresión sexual. Está escrito de una manera más próxima, para mí ha sido casi como establecer una conversación imaginaria.

El capítulo 2 es un relato de supervivencia escrito en primera persona por Toñi. En él narra su historia, sus experiencias, sus emociones, sus estrategias y recursos, sus teorías sobre lo que le ocurre, etc.

El capítulo 3 incluye algunos fragmentos de la psicoterapia que ambas compartimos. Se trata de una experiencia muy concreta, pero si eres superviviente te puede servir como orientación. Sin embargo, si la experiencia de Toñi es muy diferente de la tuya también está bien. Cada persona es única.

El capítulo 4 está dirigido a familiares y parejas de supervivientes. Aunque en el capítulo 1 se pueden encontrar muchas ideas, aquí planteo algunas sugerencias que espero que sean de utilidad. También hay un breve apartado para profesionales (médicos, psicólogos, educadores, etc.) que trabajen con supervivientes. Se trata de unas sencillas anotaciones de los temas más comunes que el profesional interesado deberá completar con otra bibliografía.

Al final hemos incluido un anexo en el que hay bibliografía, direcciones, teléfonos de utilidad y también algunas páginas web donde encontrar información y ayuda.

Introducción

Una visión general

Las agresiones sexuales son un fenómeno complejo al que no nos podemos acercar si no es con una mirada amplia. Al contemplarlas lo hacemos desde nuestro mundo de significados, con nuestros valores, nuestras creencias y nuestros prejuicios. Las personas vemos eso que se llama «la realidad» a través de un cristal, el de nuestras propias gafas. Por eso, mirando unos mismos hechos, diferentes personas vemos realidades tan distintas. Dice Maturana (1996) que no existe una realidad independiente del observador, puesto que lo que se observa tiene que ver con quién lo observa y con sus esquemas de la realidad.

La violencia sexual es quizás uno de los aspectos de las relaciones humanas que más controversias generan. Por ello creo importante señalar que mi punto de vista tampoco es «objetivo» ni es la «verdad». Lo que explicaré aquí es cómo se ven las agresiones sexuales a través de mis ojos.

Las personas nacemos con un género, en una familia, dentro de un contexto social y en un momento histórico concretos que determinan, en gran medida, nuestra visión de la realidad. Al observar nuestro entorno nos centramos en unos detalles y pasamos otros por alto, y construimos de esta forma una «realidad» que tiene que ver con nosotros, que tiene significado para nosotros, pero que no es «la realidad». Es lo que White y Epston (1993) llaman «narrativa dominante».

También en el ámbito social existe una «narrativa dominante». La historia oficial la escriben los que tienen el poder y generan una explicación de la realidad basada en su posición dominante —los hombres han escrito sobre las mujeres, los adultos sobre los niños, los pueblos ricos sobre los pobres, los opresores sobre los oprimidos—, porque la opinión de quien no tiene poder suele ser silenciada.

La historia de las agresiones sexuales es una historia de olvido y de silencio, de una realidad negada tanto individual como colectivamente. Los actos que se engloban como «agresiones sexuales» son tan antiguos como la humanidad pero, como dice Inés Hercovich (1997), durante siglos ni siquiera hubo una palabra para designarlos. Mujeres y niños se veían obligados a mantener relaciones sexuales que no deseaban, sin contar con su opinión y sin pensar siquiera que pudieran tener capacidad para decidir. Es decir, las agresiones existían pero no se las consideraba como tales.

A lo largo de siglos, las actitudes sexuales de hombres y mujeres no se han contemplado con los mismos criterios. De una mujer se esperaba que fuera honesta y esto implicaba que se mantuviera virgen antes del matrimonio; sin embargo, el hombre tenía un margen de libertad mucho más amplio (Beneyto, 2002). La presión social para mantener estas expectativas sociales era muy fuerte. Se consideraba que el daño principal de la agresión sexual era que quedaba en entredicho la honra de los hombres relacionados con la mujer violada y no la integridad física y psicológica de dicha mujer. Baste recordar que, en España, hasta 1989 —año en el que se produjo la reforma parcial del Código Penal (Ley Orgánica 3/1989)— los delitos sexuales se consideraban delitos contra la honestidad y no contra la libertad sexual.

Incluso en muchas culturas se entiende que la mujer es una propiedad del marido y éste, legalmente, tiene derecho a castigar a su esposa si le desobedece o considera que ha cometido adulterio. En la mayoría de estas sociedades el concepto de «violación» dentro del matrimonio no existe, como no existía en la nuestra hasta hace muy pocos años.

> Hasta hace poco tiempo, la violación como una relación sexual no consentida sólo se aceptaba cuando el hombre era extraño y violento, la víctima mostraba una activa resistencia y denunciaba el hecho inmediatamente después de ocurrir. Pero cuando la violación era cometida por un hombre conocido por la víctima, se convertía —y aún puede convertirse en algunos casos— en un concepto difícil de manejar incluso para los propios profesionales del sistema jurídico-penal (Beneyto, 2002, págs. 55-56).

Los niños tampoco han corrido mejor suerte. Hasta bien adentrados en el siglo XX se les consideraba como adultos en miniatura y no se les suponían necesidades especiales. En el mejor de los casos, eran mano de obra para trabajar y ayudar en la manutención de la familia y una posesión de los padres. Ni los malos tratos ni las agresiones sexuales estaban contemplados como tales.[1]

La historia de las agresiones sexuales, además de ser una historia silenciada, ha sido perpetrada mayoritariamente por hombres —entre el 90 y el 95% de los casos, según Intebi (1998)— y también explicada por hombres. Tradicionalmente han sido los hombres quienes han ejercido el poder y las mujeres quienes han estado sometidas a su influencia. En realidad, la discriminación en nuestra sociedad no sólo se produce por razones de género y no se dirige exclusivamente a mujeres, pero este tipo de discriminación concreta tiene, a mi juicio, una gran importancia en el tema que nos ocupa. Cuando hablo de discriminación de género me refiero a aquella que se dirige contra las mujeres y hombres que no encajan en el modelo patriarcal. En este sentido, tanto las mujeres como los hombres pueden ser dis-

1. Intebi, I. V., *Abuso sexual infantil en las mejores familias*, Buenos Aires, Granica, 1998. Aquí el lector puede encontrar una revisión histórica sobre el abuso sexual infantil.

criminadores o discriminados. De hecho, los hombres supervivientes de agresiones sexuales suelen ser hombres discriminados porque no encajan en el modelo social de masculinidad y no se les permite mostrar su dolor. De la misma forma que son discriminadas las mujeres que no encajan en el modelo de mujer sumisa.

Las agresiones sexuales, sobre todo los abusos en la infancia, son un tema del que resulta difícil hablar. Nos mueve muchas emociones: impotencia, rabia, angustia, preguntas, dudas, etc., y sentimientos contradictorios: el deseo de ayudar y el deseo de huir. Muchas veces el primer impulso es negar su existencia, hacer como si no fueran ciertas. Al fin y al cabo, ¿dónde está el límite entre lo que es y no es una agresión sexual? A lo largo de diferentes épocas podemos encontrar relatos —en la literatura, en el cine, en la bibliografía científica y en la vida real— en los que el niño, el joven o la mujer aparecen descritos como «fantasiosos» y «mentirosos», cuando no como «provocadores» y «causantes» de contactos sexuales, que no se contemplan como agresiones, sino como relaciones sexuales deseadas por ambas partes o provocadas por niños «perversos» y mujeres «seductoras». Otra forma de negar los abusos ha sido afirmando que no tenían efectos nocivos para los niños o bien que lo que ocurría en el interior de la familia pertenecía al ámbito de lo privado y las instituciones no tenían ninguna razón para intervenir.

Por estas razones no debe sorprendernos que la visión de las agresiones sexuales como un delito sea algo reciente, que se remonta a unas pocas décadas y no en todos los países.

Las sociedades occidentales han vivido durante siglos de espaldas a la realidad de las agresiones sexuales. Y aquello que no se ve y de lo que no se habla es como si no existiera. En el campo de la salud mental las cosas han discurrido de forma paralela. El primero en hablar de los efectos de las agresiones sexuales fue Freud en *La etiología de la histeria* (1896), quien afirmó que la causa de la histeria eran las agresiones sexuales sufridas en la infancia.

Sin embargo, la conmoción que generó este hallazgo en la sociedad victoriana de aquella época fue tan grande que Freud se retractó afirmando que se trataba de fantasías sexuales que los niños sentían hacia el padre del sexo opuesto. Por esta razón, durante décadas miles y miles de supervivientes han sido tratados por psicólogos y psiquiatras como fantasiosos y manipuladores.

En la década de 1950, el informe Kinsey puso de manifiesto la incidencia de las agresiones sexuales en la sociedad norteamericana, aunque minimizando sus efectos nocivos (Courtois, 1999). Y fue a partir de la década de 1970, en la que surgieron con gran fuerza los movimientos feministas y aparecieron resultados de investigaciones sobre abusos sexuales infantiles como los de Finkelhor —uno de los investigadores más exhaustivos en este campo—, cuando se empezaron a tomar en consideración las alarmantes cifras relacionadas con las agresiones sexuales. Finkelhor (1986), después de revisar las 19 mejores investigaciones realizadas en Estados Unidos, Canadá e Inglaterra señala que el 20% de las mujeres y el 10% de los hombres dicen haber sido víctimas de abusos sexuales en la infancia.

En 1980 se reconoció por primera vez un trastorno como consecuencia de una experiencia traumática, el Trastorno por Estrés Postraumático, que se observó primero en veteranos de guerra y después en otro tipo de traumas (violaciones, accidentes, catástrofes naturales, abusos sexuales, etc.).

Tanto los profesionales clínicos como los investigadores empezaron a reconocer el papel de las experiencias traumáticas en el desarrollo de malestar físico y psicológico agudo en muchas personas. También surgieron diferentes modelos de tratamiento y organizaciones profesionales dedicadas al estudio del trauma y sus consecuencias. Paralelamente, aparecieron un gran número de publicaciones no profesionales (libros de autoayuda y relatos de supervivientes en primera persona explicando su experiencia de abuso y recuperación). Proliferaron grupos de autoayuda coordinados por supervivientes. También los medios de comunicación se hicieron eco de este tema, primero de un modo cuidadoso y posteriormente de forma sensacionalista (Courtois, 1999).

Como consecuencia de todo lo anterior, aumentó la demanda de ayuda de personas que recordaban experiencias de abuso o sospechaban que los podrían haber sufrido y, por lo tanto, también aumentaron las demandas legales sobre este tema.

Lo que ha sucedido en la sociedad en general y en la salud mental en particular corre paralelo a lo que ocurre dentro de las familias y en el entorno de las personas que son víctimas de agresiones sexuales: *todo el mundo mira hacia otro lado para no ver algo que resulta demasiado doloroso de tolerar.* Es más fácil creer que la persona que denuncia públicamente una agresión fantasea, está enferma o miente que aceptar que la agresión ha ocurrido o está ocurriendo de verdad. Mirar es algo que incomoda y duele, pero es la única forma que tenemos como individuos y como sociedad de detener las agresiones sexuales.

Creencias en torno a las agresiones sexuales

Las agresiones sexuales surgen y se mantienen en el secreto: el secreto que el abusador impone a la víctima, el secreto que guarda la familia y el secreto social e institucional. Así se han generado una serie de «creencias» en torno a las agresiones sexuales que a veces son ideas muy alejadas de la realidad y no se pueden contrastar ni con los resultados de las investigaciones ni con las observaciones clínicas. Por eso me parece interesante que podamos revisar algunas de las más extendidas:

1. *Las agresiones sexuales son un hecho excepcional que afecta a muy pocas personas*: según Finkelhor (1986), 1 de cada 5 mujeres y 1 de cada 10 hombres ha sido víctima de una agresión sexual en la infancia. Las investigaciones posteriores que se han realizado en diferentes países confirman estos datos. En España se realizó una investigación en 1992 con una muestra de 2.000 personas, de las cuales el 22,5% de las mujeres y el 15,2% de los varones reconocie-

ron haber sufrido abusos sexuales en su infancia (López Sánchez, 1999).

En el caso de violaciones, Masters, Johnson y Kodolny (1987) afirmaron, basándose en diversos estudios, que 1 de cada 6 mujeres sufre a lo largo de su vida algún intento de violación (citado en López y Fuertes, 1989).

Lo que ocurre es que se han silenciado a lo largo de generaciones y generaciones convirtiéndolas en algo invisible, pero no inexistente.

2. *Todos los agresores son hombres y todas las personas agredidas son mujeres*: siempre se pensó que los agresores eran hombres, y lo son en una gran mayoría. Finkelhor (1984) habla del 95% de los casos y algunos autores hablan incluso del 98%. Considerando sólo este último porcentaje, aún hay un 2% de las agresiones que son perpetradas por mujeres. Comparativamente es un porcentaje muy pequeño, pero existe y representa a cientos de personas. A veces se trata de mujeres que son cómplices de abusos, otras participan activamente o son ellas las agresoras. Se conocen historias de mujeres que han abusado tanto de niños como de niñas. En mi experiencia clínica sólo he encontrado una situación de abuso en la que la agresora fuera una mujer, quizá por ser menos frecuentes o menos denunciadas debido a la presión social (existe el mito del instinto maternal, que hace creer que las mujeres, y sobre todo las madres, son necesariamente cuidadoras, aunque esto no siempre es así).

En todo caso, aceptar que las mujeres pueden ser agresoras atenta contra algunas de nuestras creencias básicas sobre los roles y actitudes de las mujeres, pues se piensa que sólo los hombres pueden ser sexualmente agresivos.

Tampoco es cierto que todas las víctimas de agresiones sean mujeres. Según las estadísticas, un 10% de los hombres han sufrido abusos de niños. Se trata de una cifra muy elevada. Con respecto a los hombres adultos no dispongo de cifras, porque curiosamente la estigmatización social contra las víctimas de agresiones sexuales es mayor en el caso de los hombres que en el de las mujeres. Otro de los prejuicios sociales más extendidos que han existido es la idea de que un hombre no puede ser agredido sexualmente. En nuestra cultura se supone que un hombre ha de morir antes que dejarse violar. Esto hace que a los hombres les cueste más denunciar y hablar de las agresiones sexuales sufridas.

Por increíble que parezca, hasta 1989 no se contemplaba en el Código Penal de este país la posibilidad de que un hombre pudiera ser violado (Soria y Hernández, 1994). Según estos autores es un tópico pensar que no existen violaciones de hombres perpretadas por mujeres.

3. *Los abusos sexuales sólo ocurren en las clases sociales más desfavorecidas*: los abusos sexuales se producen por igual en todas las clases sociales, lo que sucede es que se detectan con más facilidad en las clases sociales más desfavorecidas porque están más controladas por los Servicios Sociales y por los equipos de Atención a la Infancia (Intebi, 1998).

En cambio, las familias de mayor nivel económico están más desprotegidas a este nivel, puesto que recurren en mayor medida a servicios privados, en los que el nivel de detección es menor.

Es más fácil creer que una persona ha sufrido abusos o una violación cuando el agresor es una persona de un medio desfavorecido, con problemas de adicciones o de salud mental, que aceptar que un padre de familia, buen profesional y con aspecto de hombre respetable puede abusar de unos niños —quizá sus hijos— o de una mujer.

Pero los abusos ocurren independientemente no sólo de la clase social, sino también del nivel cultural, tanto del agresor como de la víctima (López Sánchez, 1999).

4. *Los abusadores son enfermos o personas peligrosas*: ¿qué clase de persona podría abusar de un niño pequeño? Ésa es una de las primeras preguntas que solemos hacernos delante de una situación de abuso. ¿Un enfermo? ¿Un psicópata peligroso? Suele tratarse de personas que no presentan ninguna patología mental ni nada que a primera vista les distinga de los demás; de hecho, pueden ser personas corrientes y competentes en otras áreas de su vida.

Muchas veces reaccionamos con incredulidad. Se nos hace difícil tolerar que una persona normal, alguien como nosotros, pueda cometer un abuso.

5. *Los hombres no pueden controlar sus impulsos sexuales*: raramente un agresor reconocerá su responsabilidad por las agresiones sexuales. Es muy posible que las niegue, pero si la evidencia es tan grande que no lo puede hacer, buscará la manera de culpar a la víctima de lo sucedido. Una forma de hacerlo es decir que los hombres no pueden controlar sus impulsos sexuales delante de «ciertas provocaciones».

Esto supone una pesada carga para las mujeres, que se convierten en responsables de frenar los deseos incontrolados de los hombres.

Esta creencia está directamente relacionada con la siguiente.

6. *Es la víctima quien provoca al agresor*: todavía hoy en día hay quien dice que hay mujeres que «piden ser violadas» por su forma de vestir o por su estilo de vida. Lo cierto es que el único responsable de la agresión es el agresor, que elige generalmente a las víctimas por criterios arbitrarios que poco tienen que ver con su aspecto físico. Las mujeres muchas veces son violadas por una cuestión situacional: estar en el lugar preciso en el momento de la agresión. A veces el criterio es la accesibilidad, por ejemplo es bastante elevado el número de mujeres víctimas de agresiones mayores de 65 años. Ello suele deberse a que son mujeres más vulnerables. Soria y Hernández (1994) hablan de un margen de edad que va de los 5 meses a los 90 años.

Por lo tanto, es falsa la idea de que los agresores buscan chicas jóvenes y de unas determinadas características físicas.

En el caso de abusos en la infancia no es extraño que el adulto diga que el niño le provocó, que era seductor, que le tocó, etc. Es cierto, los niños son seductores con los adultos porque desean ser queridos y cuidados por ellos, pero lo que buscan es afecto, no sexo. Y también es cierto que, a veces, los niños, en su afán por descubrir, tocan a los adultos, quizás en zonas erógenas, pero con ello no están provocando al adulto. Es el adulto quien ha de saber dónde está el límite, no el niño.

7. *Las violaciones serían evitables si la víctima se resistiera más*: este mito también va muy unido al anterior. Consiste en creer que no se puede llamar «agresión sexual» a una relación sexual no deseada si la víctima no se ha resistido con todas sus fuerzas.

Es sorprendente, porque este planteamiento sólo existe en el caso de las agresiones sexuales y no en el de otros delitos. Si a una persona le roban la cartera a punta de navaja nadie (ni la policía, ni el juez ni su familia) le preguntará si se resistió lo suficiente. En cambio, sí ocurre cuando se trata de una violación.

Las víctimas suelen tener una actitud sumisa delante del agresor, mayor cuanta mayor coacción física utilice éste (Soria y Hernández, 1994). Una persona no sólo se defiende de una agresión físicamente, sino también psicológicamente (utilizando mecanismos como la disociación o la negación, que explicaremos más adelante), lo que le permite poner a salvo su integridad emocional.

Tendríamos que preguntarnos si es posible elegir cómo reaccionar cuando está en peligro nuestra integridad física y emocional o simplemente se responde como se puede, a veces de una manera poco consciente. Aunque nunca te hayas encontrado en una situación de este tipo, quizá sí hayas vivido alguna experiencia límite (un robo, un accidente de coche, un incendio, etc.). Si te ha sucedido algo así quizá puedas recordar cómo, una vez pasado todo, te costó entender por qué reaccionaste como lo hiciste, quizá de forma muy poco habitual.

En los casos de agresión sexual juzgar a la víctima por no resistirse es como decir que cualquiera puede intentar violarte y es tuya la responsabilidad de intentar frenarle.

8. *Los abusos sexuales comportan violencia física*: normalmente son las agresiones en la vida adulta las que comportan el uso de la fuerza (y no siempre es así). Entre adultos el agresor suele utilizar su mayor fuerza física o bien un arma para intimidar a sus víctimas.

En el caso de abusos sexuales en la infancia, la mayoría de las veces no es necesario, el agresor ya tiene mayor poder sobre el niño simplemente por ser adulto y porque, además, suele tener una relación privilegiada con él que utiliza para perpetrar el abuso.

A los niños se les educa para que hagan caso a los adultos, sobre todo si son de la familia. Por ello, cuando se produce un incesto, el adulto no necesita utilizar la fuerza, sino que le bastan los engaños, la intimidación y, a lo sumo, las amenazas, pero no suele haber violencia física en la mayoría de las ocasiones. Y cuando la hay, el niño no tiene ningún mecanismo para defenderse.

9. *Todos los agresores han sufrido abusos en su infancia*: no todos los agresores han sufrido abusos en la infancia, pero un porcentaje bastante elevado sí reconoce haber sufrido abusos o malos tratos físicos de niños. Los niños víctimas de abusos en la infancia tienen más tendencia a ser abusadores al llegar a adultos y las niñas a ser nuevamente víctimas de agresiones en la vida adulta o a ser madres de hijos víctimas de abusos. No siempre es así, pero en un porcentaje significativo de los casos ocurre, quizá debido a que existen diferentes modelos de socialización para hombres y mujeres. En los hombres se fomenta más que exterioricen la agresividad, pero no otras emociones que se considerarían de «blando», y en las mujeres se tolera que muestren la sensibilidad, el afecto, etc., pero no la rabia ni la agresividad.

Sin embargo, esto no puede llevar a pensar que los supervivientes de abusos en la infancia acaban siendo también agresores. Muchos han sido antes víctimas, pero no es cierto que muchas víctimas acaben siendo agresores. La mayoría de supervivientes de agresiones sexuales no se convierten en agresores (O'Leary, 1999).

10. *Los niños son muy fantasiosos y tienen tendencia a inventar historias*: las fantasías sexuales infantiles existen y no es extraño que los niños creen hipótesis e historias para explicarse el mundo en general y la sexualidad en particular. Inventan formas diferentes para explicar el nacimiento de los niños, por ejemplo algunos creen que salen por el ombligo de la madre.

Los niños suelen tener explicaciones sobre las cosas acordes a su edad, y hay ciertos conocimientos sobre la sexualidad adulta que un niño no posee. Su conocimiento está basado en experiencias corporales que suelen ser similares a las de todos los niños de su edad.

Si un niño explica que ha sido víctima de abusos sexuales por parte de un adulto podría tratarse de una fantasía, pero también de un hecho real —en la mayoría de los casos, se trata de agresiones verdaderas— (López Sánchez, 1999). Vale la pena escucharle con una actitud abierta puesto que, si es cierto y no se le da importancia a su relato, es posible que no vuelva a hablar de ello con nadie en muchos años, quizá nunca más, lo cual puede tener un importante coste en su vida.

De la misma manera, se tiende a creer que existen muchos casos de denuncias por violación falsas, pero esto no se ve corroborado en las estadísticas policiales (Soria y Hernández, 1994). Lo que ocurre es que cada denuncia falsa suele tener una gran repercusión en el sistema judicial y a veces también a nivel mediático.

11. *Una agresión sexual provoca, en la persona agredida, inevitablemente un trauma o un daño permanente*: las agresiones sexuales no son inocuas para quien las sufre. Para algunas personas suponen un nivel de dolor emocional y físico tremendo, incluso trastornos psicológicos graves o traumas importantes.

En el caso de los abusos en la infancia, los daños son mayores porque el niño no dispone de los mismos recursos que el adulto para afrontar la experiencia, pero también las agresiones en la vida adulta pueden tener efectos devastadores.

Sin embargo, eso no significa que sean los mismos efectos para todas las personas ni con la misma intensidad, ni tampoco que provoquen un daño permanente. Los efectos dependen de un gran número de factores (véase el capítulo 1) y muchas personas sobreviven de una manera bastante funcional.

Muchas personas justifican el abuso diciendo que no tiene efectos negativos en la vida de los niños, y no es esto lo que pretendo hacer en este apartado. Pero también hay quien se empeña en etiquetar a los supervivientes de «permanentemente dañados», generando en ellos una sensación de impotencia que no se corresponde con la realidad, pues son personas con capacidades y recursos para sobrevivir a experiencias difíciles.

Por lo tanto, no se trata de justificar a los agresores, sino de reconocer los recursos y capacidades de los supervivientes.

12. *El abuso sexual es un problema que se debe resolver dentro de la familia*: durante mucho tiempo no se tomaron medidas legales ni institucionales en los casos de abusos a menores excusándose en la idea de que se trataba de un problema privado, que formaba parte de la intimidad de la familia y era la propia familia quien lo debía resolver.

Ésta es una afirmación absurda cuando se sabe que buena parte de las agresiones sexuales a menores se cometen dentro de la familia, y así difícilmente se va a poder proteger al menor.

Los abusos intrafamiliares se producen en familias con serios problemas en sus estilos de vinculación, sin sentido de los límites y con alteraciones en las jerarquías. Muchas veces los abusos se perpetúan de una generación a otra si no se hace nada para evitarlo.

Es difícil, no obstante, que un incesto sea denunciado o salga a la luz. La tendencia de las familias muchas veces es negar los hechos por miedo a una crisis familiar.

No debemos olvidar que las agresiones sexuales son un delito tipificado en el Código Penal de este país, y la misión del sistema judicial y de atención al menor es defender el bienestar y la integridad de los menores.

También es así en el caso de agresiones sexuales en la vida adulta, sobre todo cuando se producen en el seno de la pareja. Suelen producirse en relaciones de maltrato que traspasan el ámbito de lo privado y muchas veces es necesaria la intervención de instituciones públicas para ayudar a la víctima y al agresor a detener las agresiones.

13. *Las agresiones sexuales son un fenómeno de la época en que vivimos que antes no existía y debe tener que ver con nuestro estilo de vida*: como ya he dicho, las agresiones sexuales no son un fenómeno nuevo, lo que es nuevo es el impacto que está teniendo

su divulgación a través de los medios de comunicación y los cambios que se han realizado en muchos países en cuanto a las medidas legales que tomar; por último, es nueva la importancia que se les está dando en los equipos de salud mental, servicios sociales, etc.

No se puede considerar que ha aumentado el número de agresiones sexuales, lo que ha aumentado es el número de denuncias y el de demandas de ayuda psicológica por este tema.

14. *La agresión sexual es una experiencia ligada al deseo sexual del agresor*: esto no es así en la mayoría de los casos; en las violaciones los agresores no suelen tener un objetivo sexual claramente identificado, sino que más bien pretenden humillar a la víctima, imponerse por medio del temor o la coacción (Soria y Hernández, 1994).

En el caso de los abusos sexuales en la infancia, el agresor tampoco busca necesariamente una satisfacción sexual, sino que, muchas veces, trata de afrontar conflictos emocionales mediante el abuso (repetir una situación abusiva que sufrió en la infancia, no afrontar sus dificultades en la relación con otros adultos, etc.).

15. *Los agresores son personas desconocidas para la víctima*: nada más lejos de la realidad; en el 80% de los casos los agresores son conocidos por el niño y en muchísimos casos forman parte de su familia (Barudy, 1998).

También es así en las agresiones producidas en la vida adulta, en las que el agresor puede ser la pareja, la ex pareja, el vecino, el jefe, un conocido, etc., en más ocasiones que un extraño. Lo que ocurre es que se denuncian más las agresiones perpetradas por extraños y se silencian las perpetradas por conocidos. Según Soria y Hernández (1994), en un porcentaje de agresiones que oscila entre un 60 y un 80% de los casos, existe relación entre víctima y agresor y, en buena parte de ellos, pertenecen al mismo núcleo familiar.

López y Fuertes (1989) dicen que algunos estudios referidos a Estados Unidos demuestran que 1 de cada 8 mujeres casadas ha sido violada por su esposo, y 1 de cada 5 se ve obligada a realizar actos sexuales con un amigo en contra de su voluntad.

1

Para supervivientes

Antes de adentrarse en la lectura

ENCONTRAR UN ESPACIO Y UN TIEMPO

Antes de empezar a leer esta parte del libro sería bueno que decidas cómo lo vas a hacer. Busca un lugar tranquilo en el que no tengas interrupciones, en el que te sientas cómoda y segura y en el que puedas tomarte un tiempo para ti. Piensa el rato que deseas dedicar cada vez, pero si te resulta difícil detente antes.

La lectura te puede desencadenar recuerdos, sentimientos y emociones. Tómate tu tiempo. Si sientes que lo que te provoca es demasiado doloroso, no sigas leyendo. Busca a alguien con quien hablar e incluso busca ayuda especializada si crees que es necesario (encontrarás un apartado sobre cómo elegir psicoterapeuta).

Es importante que aprendas a relajarte. Una forma sencilla puede ser imaginando un lugar seguro que te haga sentir bien y al que puedas ir con tu mente cada vez que lo necesites.

Pero, sobre todo, es importante que tengas claro que este libro no es el sustituto de una psicoterapia. Simplemente es una guía que puedes utilizar como complemento a tu trabajo terapéutico o incluso para revisar algunos apartados con tu psicoterapeuta.

A lo largo de esta sección encontrarás algunos ejercicios que puedes ir haciendo a medida que lees el libro. Dos ejercicios básicos serán la escritura y la pintura.

Escribir puede ser una actividad muy útil. Poner en palabras lo que piensas y sientes suele ser de gran ayuda. Para muchas personas tener un diario personal puede marcar una diferencia en sus vidas.

Como puedes hacerlo sola, te servirá en esos momentos en los que las personas en quienes confías no están disponibles. Cuando hay cosas que no eres capaz de decirle a otra persona quizás es más fácil empezar diciéndotelas a ti mismo.

No importa si escribes bien o mal, si tienes faltas de ortografía o si no posees todo el vocabulario que quisieras. Recuerda que se trata de un trabajo privado, para ti, que sólo has de compartir si lo deseas y con quien lo desees.

Hay personas que todavía no tienen palabras para explicar lo que les ocurre; otras sienten una opresión intensa dentro y necesitarían hablar o gritar, pero cuando lo intentan no sale ningún sonido de su garganta; a otras simplemente no les gusta escribir o no se sienten cómodas haciéndolo. Otra forma de expresar lo que sientes puede ser a través de la pintura. No se trata de que hagas dibujos muy bonitos, sino de que dejes salir lo que hay en tu interior. A veces coger un color y pintar con él puede ser un gran alivio y también puede ser un principio, una manera de empezar a dar forma a tus emociones.

Sea cual sea tu preferencia, tu necesidad o tu posibilidad, cuando planteamos escribir, si te resulta más fácil, puedes pintar.

A algunas personas les preocupa que puedan encontrar sus escritos, pero siempre puedes buscar un lugar seguro para ellos. Podría ser que creyeras que en tu casa no están a salvo. Si es así, puedes pensar en alguien de tu confianza que te los guarde. Otra opción es escribir y destruirlo si sientes que no estás cómoda guardándolo.

Cuando vayas a escribir o dibujar, asegúrate de que nadie te vaya a interrumpir. Es muy importante que dispongas del tiempo suficiente, por lo menos entre cuarenta y cinco minutos y una hora, ya que si expresas cosas que son difíciles para ti seguramente necesitarás un rato para serenarte antes de regresar a tus actividades diarias.

Una forma muy útil de escribir es hacerlo siempre a la misma hora, como si se tratara de un ritual. De esta manera se evita acudir a la escritura sólo en determinados momentos, por ejemplo cuando estás triste o rabiosa, explicando así sólo una parte de la experiencia. De todas formas, no existe «la manera». Ve investigando hasta que encuentres el método que más te guste a ti.

La necesidad de un vínculo seguro

Si has contado con apoyo para afrontar las consecuencias de la agresión eres una persona afortunada. Si no es así, al dolor de la agresión hay que añadir el de la incomprensión y el silencio.

Hacer frente a los efectos de una agresión sexual es algo que difícilmente se puede llevar a cabo en solitario. A veces las emociones están a raya mientras uno decide no hablar, no pensar y no sentir, pero una vez empiezas a hacerlo, es difícil afrontar todos los sentimientos que aparecen sin la ayuda de alguna persona en quien confíes.

A veces no se elige pensar, simplemente ocurre. Puedes estar tranquila en una situación aparentemente cotidiana y los recuerdos vienen como un torbellino. Muchas veces son provocados por una situación o un estímulo que desencadena una oleada de recuerdos y sensaciones, a veces claros y otras confusos.

Es importante que pienses en qué personas confías y quiénes te podrían ayudar en un momento de crisis. Quizá puedes hacer una lista y tenerla a mano con sus números de teléfono. Piensa en qué cosas de cada una de esas personas te hacen confiar y qué tipo de información compartirías con cada una de ellas. Puedes pensar en quiénes te han cuidado o te han ayudado de alguna forma a lo largo de tu vida, quién conoce tu experiencia de abuso o violación y a quién se la podrías confiar. También tienes la opción de buscar la ayuda de un psicoterapeuta.

¿VÍCTIMA O SUPERVIVIENTE?

Existe una tendencia muy generalizada a denominar «víctimas» a aquellas personas que en algún momento de su vida sufrieron agresiones sexuales. Es como si a alguien que tuvo la viruela a los 12 años se le siguiera llamando «el que tuvo la viruela» durante el resto de su vida, de tal forma que la persona queda atrapada en una etiqueta inamovible.

Pero lo cierto es que si fuiste víctima de un abuso o de una violación en un momento determinado de tu vida, no quiere decir que seguirás siendo una víctima siempre. La palabra «víctima» hace referencia a alguien que ha recibido un daño, y supone el reconocimiento de la injusticia sufrida y el hecho de que la responsabilidad es del otro, del agresor. Es un término muy utilizado en el mundo jurídico. Lo que ocurre es que esta concepción de la persona niega el crecimiento, el reconocimiento de sus recursos personales y, sobre todo, el esfuerzo tan inmenso que realiza desde hace tiempo para sobrevivir.

Llevas sobreviviendo desde el principio. Cada vez que conseguías escabullirte y evitar al agresor, cada vez que ocurrían los abusos y lograbas desconectar de la experiencia para protegerte emocionalmente, cada vez que encontrabas unos instantes de tranquilidad para ti, cada vez que eras capaz de reír, cuidar de tus hermanos, imaginar una historia que te permitiera olvidar el dolor, seguir yendo a la escuela o al trabajo, seguir comprometiéndote en actividades y relaciones... Seguro que puedes pensar en cientos de ejemplos de cosas que has hecho en tu vida para sobrevivir.

Si has logrado seguir adelante con tu vida y estás aquí leyendo este libro es que eres una SUPERVIVIENTE.

Entender las consecuencias de la agresión en tu vida

PERSONAS ÚNICAS, EFECTOS ÚNICOS

Es posible que al leer este capítulo sientas emociones, sensaciones y tengas recuerdos difíciles de manejar. Son experiencias que te pueden producir confusión y malestar. Si sientes que te resulta muy doloroso seguir leyendo, no te obligues a hacerlo, déjalo el tiempo que sea necesario. Si descubres que la experiencia que has vivido es más compleja de lo que pensabas o no está tan resuelta como creías, ten paciencia y piensa que a veces lleva tiempo resolver las cosas. Quizá, por el contrario, la lectura te resulte reconfortante, tranquilizadora o dé sentido a un gran número de experiencias que te han ido ocurriendo y que hasta ahora no podías comprender.

Es posible que hayas necesitado en algún momento de tu vida ayuda psicoterapéutica o quizá posees recursos personales y de tu entorno suficientes para sobrevivir. Cada persona es un universo y, ante agresiones similares, personas diferentes pueden responder de formas muy variadas. Eso quiere decir que te puedes sentir identificada con algunas de las cosas que explicamos en este libro y puede que con otras no. Sería bueno que lo leyeras de forma crítica y eligieras aquello que sea útil para ti. Las verdades universales no existen, y es más importante tu experiencia personal que lo que puedas leer en estas páginas.

El proceso de sobrevivir a una agresión sexual no suele ser rápido y supone pasar por muchas fases diferentes. Es un proceso que iniciaste cuando los abusos se estaban produciendo y que puede durar mucho tiempo.

Si sufriste abusos sexuales en la infancia seguro que han tenido efectos en tu vida. Seguro que también has puesto en marcha muchos recursos para sobrevivir, aunque no seas consciente de ello. También si has sufrido una violación siendo adulta. Vamos a comentar algunos de los más frecuentes.

Ya hemos dicho que no existe una forma única de experimentar una agresión sexual, puesto que depende de innumerables factores. Algunos de ellos son: la relación que tenías con el agresor, la duración y la frecuencia de los abusos, la edad en la que se produjeron, si hubo violencia o no, el apoyo social que has tenido, con quién pudiste hablar de este tema y qué respuesta obtuviste, si los hechos fueron denunciados y cuál fue el resultado, etc.

No todos los supervivientes de agresiones sexuales buscan ayuda psicoterapéutica, y posiblemente no todos la necesiten. Hay personas que han podido integrar esa experiencia en su vida de forma constructiva. Pero todo el mundo necesita alguien que le ayude a afrontar situaciones difíciles, a veces un buen amigo, una persona de la familia sensible, un profesor, una pareja con la que establecer una relación positiva, etc. A veces también puede ser un psicoterapeuta.

Éste es el testimonio de Esperanza,[1] superviviente de abusos en la infancia, cuya reacción quizá no es la más habitual. Se incluye aquí para que veas que cualquier forma de afrontar una agresión sexual está bien si a ti te sirve.

Yo soy una persona que sufrí abusos en la infancia. En mi recuerdo hay una laguna, sé que el tiempo pasó, pero, en realidad, es como si hubiera un salto en mis recuerdos. En ese «hueco» es donde se iniciaron los abusos. Duraron más tiempo, pero supongo que fue difícil asimilar ese hecho con 9 años, y de ahí esta laguna. Con el tiempo no lo he olvidado, pero tampoco le he dado más vueltas. Nunca se lo he contado a mi familia ni creo que, ahora que han pasado más de treinta años, valga la pena hacerlo.

El hombre que abusó de mí era un conocido de la familia y aún sigue teniendo contacto con nosotros. Yo le veo, seguimos tenien-

1. Esperanza es el pseudónimo de la mujer que ha escrito este texto.

do relación y para mí está bien así. No hay dolor, me alegro de que las cosas le vayan bien y de que pueda disfrutar de su vida, no tengo reproches para él. No es que aplauda su comportamiento, pero los abusos son algo que pasó y no se van a borrar por mucho que le eche en cara cosas o que vaya explicando lo que sucedió.

Lo único que me dio miedo hace un tiempo es que esto se pudiese repetir en otra persona de mi familia. Eso sí que me angustió e incluso decidí hablar con él para aclarar las cosas. Sin embargo, lo solucioné de otra forma un tanto singular que a mí me dejó muy tranquila, permitiendo que esto siguiera siendo un asunto entre él y yo.

No sé cuánto de mi comportamiento actual se debe a este asunto, lo único que sé es que es parte de mi vida y con él vivo. No me duele pensar en el abuso, ni siento rabia, es otra cosa más de las muchas que he vivido y habrá marcado mi carácter, pero no creo que más ni menos que otras experiencias que he tenido.

No digo que fue algo positivo, pero es algo mío, algo que vive conmigo y, por lo tanto, algo a lo que quiero porque es parte de mí. Me quiero con mis pros y mis contras, con mi estatura, con mis manías y mis miedos, con mi alegría, con mi optimismo y, sobre todo, con mis aprendizajes y experiencias, porque todo ello es mi vida y me hace ser yo.

Todas las cosas se pueden vivir de una forma o de otra. La manera en que yo he vivido mis abusos no es mejor ni peor que otras, es la que yo he encontrado y para mí está bien. Seguro que si esto no me hubiese ocurrido quizá no estaría siempre en estado de alerta, no sería tan reservada o no sería..., ¿seguro? No lo sé. Tuve una experiencia que marcó mi infancia y, por lo tanto, mi vida, pero también ha hecho que sea como soy.

Los hechos no se pueden cambiar, por eso hay que vivir con ellos y eso es lo que yo hago de la mejor manera que puedo, viviendo, riendo, aprendiendo, siendo yo y haciéndome yo. Ésta es mi experiencia y no sé si se puede extrapolar a la de otras personas, pero si sirve...

Lo que es innegable es que todas las experiencias de nuestra vida nos influyen y condicionan las experiencias posteriores; somos quienes somos debido a todo lo que hemos vivido. Las agresiones sexuales no son una excepción y tienen consecuencias para quien las vive, lo que ocurre es que no necesariamente tienen que ser un trauma para todo el mundo. Lo que para una persona es traumático para otra es sólo una experiencia difícil. Si para ti ha sido traumático, tampoco significa que eres una persona enferma, dañada o incapaz. Significa que has tenido que vivir experiencias para las que una niña o un niño de tu edad no estaba preparado y eso ha hecho que tuvieras que forzar tus recursos y tus mecanismos de defensa para sobrevivir. A veces eso supone tener que crecer demasiado rápido en responsabilidades y, en cambio, quedarse emocionalmente bloqueado, sentir que tus emociones no han avanzado al mismo ritmo que tú. O significa que eres una mujer o un hombre que te has tenido que enfrentar con una experiencia anormal, o quizás incluso brutal, que ha desbordado tus mecanismos de afrontamiento habituales.

También es posible que hayas vivido mucho tiempo, incluso años, sin que las agresiones hayan sido un problema —quizás incluso sin pensar en ellas— y de pronto algún hecho o algún estímulo te haya generado un vendaval de reacciones. Es algo que puede ocurrir de repente, viendo una película, leyendo un libro, ante un programa de televisión, etc. Existen momentos de la vida que son especialmente delicados para muchas supervivientes.

Momentos de la vida en los que las agresiones pueden pasar a un primer plano o puedes recordar aspectos olvidados

La adolescencia

La adolescencia, momento en el que empieza la tarea de desligarse de la familia e individuarse, es para la mayoría de las personas un momento difícil por lo que tiene de cambios corporales, de atraer y ser atraído por otras personas —habitualmente del sexo opuesto—, de descubrimiento de la sexualidad, de confusión, de emociones nuevas, etc.

Si eres adolescente y has sufrido abusos en la infancia, éste puede ser un momento francamente difícil en el que quizás aparezcan recuerdos y vivencias que hasta ahora no habían interferido en tu vida diaria. Si las agresiones ocurrían dentro de tu familia, podría ser que tuvieras problemas en tu proceso de autonomía; el agresor se enfrenta al hecho de que la infancia ha acabado y tienes cada vez más capacidad para escapar. Eso puede provocar en él desde celos y persecución hasta una reacción de rabia y de chantaje emocional. Si el agresor era un conocido o alguien de la familia extensa, es muy posible que las cosas no sean tan difíciles.

Podría ser que sintieras la necesidad de escaparte de tu casa o incluso de tu realidad o de tu vida; podría ser que tratases de escapar consumiendo drogas, relacionándote con gente conflictiva o siendo agresiva con otras personas.

También puede ocurrir que te sientas más vulnerable o que te pongas en situación de riesgo sin ser consciente de ello. Las personas que han vivido abusos en la infancia a veces vuelven a sufrir agresiones en la adolescencia o en la vida adulta, de modo que una agresión posterior puede agravar el malestar de la primera.

La primera pareja

Otro momento delicado puede ser al iniciar la primera relación de pareja. En ese momento se pueden poner de manifiesto dificultades en las relaciones sexuales de las que no eras consciente o puedes sentir que te cuesta confiar en tu pareja, pueden aparecer recuerdos olvidados, etc.

Las relaciones sexuales pueden hacer surgir de forma repentina muchas reacciones relacionadas con las agresiones (rechazo hacia la otra persona, asco, rabia inesperada, sensaciones corporales extrañas, etc.). Algunas veces quizá no seas consciente de que existe relación entre la agresión y tus reacciones; otras veces, en cambio, puede que sepas que hay una relación pero sientes que no tienes control alguno sobre tus respuestas emocionales, que se disparan de forma automática; incluso es posible que a veces tengas comportamientos extraños pero no seas consciente de ellos.

Muchos supervivientes explican que pueden mantener relaciones sexuales satisfactorias siempre y cuando no haya una implicación emocional con la otra persona, pero aparecen dificultades cuando hay sentimientos. Si conectas emocionalmente puedes conectar con el amor, pero también con el miedo, con la rabia y con todas las otras emociones asociadas a la agresión.

El embarazo y la maternidad

El embarazo o el nacimiento del primer hijo es para muchas mujeres un momento crítico —sobre todo si el bebé es una niña— y puede generar miedo a que le ocurra algo al bebé o provocar recuerdos olvidados sobre el propio abuso.

Algunas mujeres empiezan a pensar por primera vez en las agresiones sufridas en la infancia a partir del primer embarazo. A veces surgen imágenes, pesadillas, sensaciones extrañas, recuerdos parcialmente olvidados o los que ya existían se vuelven más intensos.

Otras veces el momento crítico surge cuando los hijos alcanzan la edad en la que estas mujeres experimentaron los abusos.

Divorcio y otras crisis vitales

Hay situaciones, como por ejemplo un divorcio, que ya de por sí suponen una crisis tremenda para todas las personas que forman parte de la familia. Si es tu caso, puede que te sientas más sola y vulnerable, que tengas miedo por tus hijos y lo que les pueda pasar.

En el caso de que tu agresor fuera un padrastro, te puede asustar la idea de rehacer tu vida por miedo a que tu nueva pareja pueda abusar de tus hijos.

También otras crisis inesperadas, como una enfermedad, tenerte que ausentar de casa durante mucho tiempo o cualquier otra circunstancia de este tipo te pueden despertar viejos miedos.

Muerte del agresor

Si has sobrevivido a un incesto, sobre todo si el abusador fue tu padre, tu madre o un familiar muy significativo, su muerte puede provocarte o despertarte una oleada de reacciones intensas e incluso contradictorias, como rabia, amor, dolor, odio y tristeza que pueden hacer que tu duelo sea complicado de elaborar.

Una agresión posterior

Es posible que hayas vivido algún tipo de abuso en la infancia y que haya quedado adormecido o que durante tiempo hayas pensado que no había tenido repercusiones negativas en tu vida. Pero si en un momento posterior, siendo adulta, has sufrido otra agresión, es posible que te venga de golpe todo el impacto del primer abuso como si acabara de ocurrir. También puede que, sin llegar a vivir una nueva agresión, un incidente en el que te hayas visto en peligro o que de alguna forma te recuerde a la agresión te pueda provocar una reacción desmesurada. Eso puede que se deba a que te ha hecho revivir los abusos de nuevo.

Proceso de psicoterapia

Hay personas que viven muchos años de su vida sin pensar en la agresión —a veces incluso sin recordarla o habiendo olvidado los detalles— y la vuelven a revivir en el curso de una psicoterapia, haciendo yoga, en algún tipo de terapia corporal o actividad relacionada con el cuerpo, a través de la escritura, etc.

Otras veces es posible que tu recuerdo estuviera totalmente desconectado de las emociones. No es extraño oír a supervivientes, cuando explican por primera vez en una sesión de psicoterapia que sufrieron alguna agresión sexual, algo como: «Me ocurrió pero no me ha creado ningún trauma ni nada por el estilo», «No lo había hablado con nadie antes pero lo tengo superado», etc., y mientras lo van explicando van tomando conciencia de la magnitud de lo que les ha ocurrido.

A veces hasta que no se habla de algo es como si no fuera real del todo, ha ocurrido pero uno puede hacer «como si no». Ahora bien, una vez le pones nombre se convierte en algo verdadero, ya no se puede hacer como si no existiera.

Aspectos de tu vida que pueden verse afectados a largo plazo por las agresiones sexuales[2]

Algunas personas tienen muy claro cuáles han sido los efectos de los abusos sexuales en sus vidas; para otras las consecuencias son más difusas, y hay personas que no encuentran una conexión entre lo que les ocurre en la actualidad y el hecho de haber sido víctimas de algún tipo de agresión sexual. Es difícil distinguir qué aspectos de tu vida actual tienen que ver con la agresión y cuáles con otras experiencias vitales o con otros aspectos particulares de tu vida. A veces los abusos sexuales causan problemas y otras lo que hacen es agravar otros que ya existían. Que los abusos te hayan causado problemas no quiere decir que tú eres el problema, sino que otros te han causado problemas a ti. Si has sufrido una agresión sexual es imposible que no haya tenido algún tipo de efecto en tu vida, pero seguro que no todo lo que te pasa tiene que ver con esa experiencia. A veces es difícil saber dónde está el límite.

He conocido personas que han vivido una agresión sexual con malestar pero sin presentar un sufrimiento muy desbordante; sin

2. Para elaborar este apartado he consultado las siguientes obras: Sanderson, Ch. (1995), Harter, S. L. y Neimeyer, R. A. (1995), Bean, B. y Bennett, S. (1993) y Kirschner, S., Kirschner, D. A. y Rappaport, R. L. (1993) y Bass, E. y Davis, L. (1995).

embargo, han buscado ayuda creyendo que si no se sentían completamente destrozadas —que es lo que su entorno esperaba— era señal de que había algo equivocado en ellas. Si es tu caso, es estupendo que hayas encontrado la fuerza para lograr que los abusos no dominaran tu vida. Piensa que a veces los estereotipos sociales también pueden hacer mucho daño —«Si no estás mal es que quizá te gustó», etc.—. Tener recursos para afrontar un abuso manteniendo tu identidad a salvo es algo muy positivo.

En la mayoría de los casos no es así y los abusos generan mucho sufrimiento. Hay niños que están en situaciones más vulnerables y existen grados de abuso terribles ante los que nadie podría salir indemne. Cada persona reacciona en cada momento de su vida de la forma más coherente que puede de acuerdo con los recursos y capacidades de que dispone. No existe «la forma» correcta, y ante ciertos acontecimientos no podemos elegir «la respuesta», cada persona lo hace lo mejor que puede y sabe. Algunas respuestas en el momento de la agresión pueden ser muy coherentes y muy adaptativas, aunque quizá dejen de serlo y te creen problemas si se mantienen a lo largo del tiempo o se desencadenan ante situaciones no deseadas. Por ejemplo, distanciarse del dolor que te produce la agresión puede ser útil y funcionar como protección al principio, pero si se mantiene durante mucho tiempo te puede crear dificultades y aislarte de los demás.

Hay reacciones que pueden ser comunes a muchas personas (por ejemplo, sentir culpa o miedo), pero el significado de esa reacción puede ser muy distinto para cada persona. Tu forma de vivir tus emociones es únicamente tuya y tiene que ver con la persona que eres, con las experiencias que has tenido a lo largo de tu vida, con tu forma de ver el mundo y de verte a ti, etc. Por ejemplo, algunas personas viven el llanto como un desahogo y otras como un signo de debilidad. El hecho es el mismo, pero la forma de vivirlo muy distinta.

Si las consecuencias que las agresiones sexuales han tenido en tu vida son diferentes de las que exponemos a continuación, está bien. No existe la forma correcta o incorrecta de responder. Algunas de las áreas de tu vida que se pueden ver afectadas son las siguientes:

Emociones y sentimientos

Dos sentimientos y que están muy ligados a las agresiones sexuales son la *culpa* y la *vergüenza*. Tienen que ver con el secreto y con los mensajes del abusador, en los que suele culpar a la víctima de los abusos: «Tú me provocaste», «Sé que en el fondo te gusta», etc. A veces es la culpa la que refuerza el silencio y el miedo a no ser creído.

Algunas de las cosas que te pueden hacer sentir mayor culpa y vergüenza son:

- Haber sentido placer durante la agresión: «No me puedo perdonar que me gustara lo que me hacía, que me lo dejara hacer».

  No es extraño que ocurra porque tenemos un cuerpo que responde a las caricias y al contacto físico sin que medie nuestro pensamiento. No siempre podemos controlar las respuestas de nuestro cuerpo.

  A los niños les gusta que les toquen, eso es algo natural y sano. Los niños no conocen los límites entre el afecto y el sexo, para ellos una experiencia agradable es simplemente eso, especialmente si es provocada por una persona a la que quieren y en la que confían (padres, abuelos, tíos, amigos de la familia, etc.) y es planteada como un juego. Hay niños que creen que los abusos son algo normal que les ocurre a todos los niños. A lo largo de las generaciones, el riesgo de que se produjeran abusos a menores ha sido muy elevado debido a que el sexo se ha considerado un tabú y la educación sexual infantil era prácticamente inexistente.

  También en las agresiones sexuales sufridas por adultos es posible experimentar alguna sensación placentera. El cuerpo responde a la estimulación física y no siempre podemos controlar sus respuestas.

- No haber detenido los abusos antes o no haberlos evitado de algún modo. A veces, cuando una persona crece, olvida la diferencia de edad y de poder que le separaban del agresor y que le impidieron evitar los abusos. Es posible que cuando los abusos se iniciaron ni siquiera entendieras lo que estaba ocurriendo.

Por otro lado, el miedo a no ser creída o las amenazas del agresor también es posible que tuvieran un efecto paralizador. Si el agresor era uno de los padres o un cuidador primario, la situación es aún más compleja. El vínculo que une a padres e hijos es tan fuerte y la necesidad de ese vínculo tan necesaria para la supervivencia de los hijos que éstos no disponen de mecanismos para detener las agresiones. Además de que el hijo es leal a los padres, hasta en aquello que más daño le causa.

También si has vivido una agresión de adulta es posible que sientas culpa por no haberlo evitado de alguna forma. Generalmente las agresiones entre adultos comportan un grado importante de violencia física o de amenaza contra la propia vida, por lo tanto en esos casos a veces paralizarse y no responder es la mejor defensa, muchas veces la única posible.

- Si revelaste los abusos o la violación, puedes experimentar culpa por sentir que tu revelación ha destrozado a la familia. La ruptura del silencio suele suponer una crisis muy importante para toda la familia y la sensación de amenaza se suele vivir con mucho sufrimiento. El agresor suele manipular la información para sentirse «inocente», y para el resto de miembros de la familia no es fácil aceptar una agresión en su propia casa. Las dudas, los dilemas, el miedo a lo desconocido, la inseguridad, etc., hacen que la familia niegue lo ocurrido.

  Aunque esta reacción es más frecuente en los casos de incesto también se puede dar en otro tipo de agresiones, cuando la familia no tiene recursos emocionales para enfrentarse a la realidad.

La vergüenza se puede transmitir de una generación a otra. A veces lleva a la negación del abuso para mantener la lealtad a la familia.

También la *rabia* puede ser una emoción muy desbordante. Es posible que sientas rabia hacia el agresor o hacia otras personas de la familia o de tu entorno que no te protegieron o ayudaron, o quizá no te creyeron cuando les confiaste tu secreto.

Algunas personas se asustan al sentir tanta rabia, sobre todo si se tienen ideas de venganza (es habitual tener estas ideas, pero es importante tener claro que no es lo mismo pensar que actuar; que pienses en vengarte no significa que vayas a hacerlo, puede ser sólo una forma de sentir que tienes control sobre la situación).

Pero también es posible que sientas una rabia intensa y poco clara que no va dirigida contra nadie ni nada en particular. También es posible que la hayas internalizado y la hayas dirigido contra ti mismo en forma de conductas autodestructivas (automutilaciones, consumo de drogas, problemas con la comida o intentos de suicidio) u otras formas de hacerse daño menos evidentes y más sutiles, como no darte permiso para disfrutar.

Es posible que sientas *tristeza* o cambios bruscos de humor sin saber el motivo, que pases de la tristeza más intensa a la euforia y al revés. También es posible que tengas reacciones desproporcionadas —demasiado intensas o demasiado poco—. Quizá te des cuenta de que nunca acabas de sentirte del todo bien aunque no haya ninguna razón en ese momento para estar mal.

Otra emoción que puede que sientas es *miedo* —a estar sola, a la oscuridad, a ir sola por la calle, a perder el control, a enloquecer, a que te vuelvan a hacer daño, a hacer daño a otras personas, a que tu agresor haga daño a otras personas, etc.

También es posible que sientas como si *no tuvieras emociones* y veas las cosas como si fueran parte de una película pero no fueran reales: «A veces siento que no tengo sentimientos», «Lo recuerdo como si fuera una película y hay veces que me pregunto si realmente ocurrió de verdad».

También puede ser que tengas *ansiedad*, incluso hay veces que quizá puedas llegar a sentir palpitaciones, taquicardia y sensación de ahogo intensas, sobre todo cuando te enfrentas a estímulos que te recuerdan el abuso (lugares, personas, ropa, etc.). También puedes sentir ansiedad provocada por *flashbacks*[3] o pesadillas.

Autoestima

La autoestima tiene que ver con sentir respeto hacia una misma. Que te respetes y sientas que eres una persona valiosa no significa que te consideres mejor que otros. La autoestima hace referencia a cómo te sientes contigo misma, no respecto a los demás. Tampoco significa que te guste todo de ti, sino que tienes una sensación general de ser alguien que vale la pena.

Tener autoestima es importante para vivir. Pero si has sufrido una agresión sexual es muy posible que hayas recibido el mensaje de que no vales la pena. Las agresiones sexuales hacen que las personas que las viven se puedan sentir sucias, avergonzadas, como si fueran objetos. En muchos casos la agresión sexual va acompañada de agresiones físicas que pueden mermar más aún tu sentimiento de ser valiosa.

«Iba por la calle mirando al suelo y me sentía como si llevara un cartel en la cara que dijera: "Han abusado de mi".» Ésta es una sensación muy habitual en supervivientes de agresiones sexuales, la idea de que los demás pueden ver lo que les pasa, con el consiguiente sentimiento de autorrechazo.

«Me encuentro diferente, desplazada», «Los demás son prioritarios para mí, yo soy la última», «Siento como si todo el mundo me arrinconase y yo fuese algo inservible». Como consecuencia de haber vivido siempre con secretos que guardar, muchos supervivientes sienten que no son normales o que no tienen tanto valor como las otras personas de su entorno. Esto hace que tu sentimiento de valía personal no sea muy grande. Si te sientes culpable o responsable de lo que ocurrió, tu autoestima aún será más baja.

3. Los *flashbacks* son experiencias en las que una persona revive una situación traumática como si estuviera volviendo a ocurrir en ese momento.

Esta falta de autoestima probablemente tiene mucho que ver con los mensajes que recibías del agresor —y quizá de otras personas de tu entorno—. Si alguna de las personas más importantes para ti te decía, directa o indirectamente, que no valías, es muy probable que le creyeras. ¿Qué niño no cree a un padre, un abuelo, un maestro, un amigo íntimo de la familia, etc.?

Si esta falta de autoestima todavía perdura es posible que no te estés cuidando ni tampoco esperes que te cuiden los demás. Es posible que ni siquiera se lo permitas —quizá sin ser consciente de ello— o aceptes con naturalidad que te traten sin respeto o incluso toleres que te hagan daño sin darte cuenta.

A veces el sentimiento de poca valía es algo más profundo, no tiene que ver con ningún mensaje externo, sino con el propio sentimiento de humillación. Esto es más frecuente en las agresiones en adolescentes y adultos, cuando te das perfecta cuenta de lo que te está sucediendo y puedes experimentar lo denigrante que es sentir tu cuerpo y tu intimidad en manos de otra persona. Es suficiente esa sensación para que tu autoestima se venga abajo.

Autoimagen

La autoimagen es una parte de la autoestima, pero debido a la importancia que tiene este aspecto en la vida de las supervivientes, aparece aquí como un apartado independiente.

Los abusos te pueden haber producido sentimientos confusos que quizás influyan en la imagen que tienes de ti misma. Por ejemplo, sentirte sucia o sentir vergüenza por haber sufrido abusos, debido a los mensajes que has recibido del agresor que te alentaban a guardar silencio sobre lo que sucedía. El secreto y la reserva fortalecen la opinión negativa sobre ti misma.

En estas circunstancias es posible que te comportaras con los demás de forma «extraña» (agresiva, retraída, etc.) o que tu comportamiento no tuviera sentido para ellos, lo que les podía llevar a pensar que estabas «enferma» o eras «rara». Eso pudo hacer que el entorno te tratase como enferma o rara, lo cual potenciaba el secreto y la autoimagen negativa —«Soy mala, algo falla en mí», «Soy incapaz» o «Soy rara» (Kamsler, 1996).

Si has buscado ayuda profesional y te han dado un diagnóstico psiquiátrico, has visto cómo se confirmaba y reforzaba esa imagen.

El abusador pretende provocar el aislamiento y la confusión dando mensajes contradictorios, diciéndote cosas como «te hago esto porque te quiero» y haciéndote dudar de ti misma. La idea implícita de lo que dice es que no debes confiar en tus sentimientos porque no son fiables. Es posible que los abusos te hicieran sentir mal y el mensaje del agresor fuera: «Sé que a ti te gusta», «Nadie te cuidará tan bien como yo», «Lo hago por tu bien», etc. En este tipo de comunicación el agresor te hace daño, pero al mismo tiempo te hace responsable de lo que ocurre y te dice que no confíes en tu sensación de malestar porque en realidad es algo que a ti te gusta. Ésa es la parte más dañina de los abusos.

Si eres un hombre superviviente, a todo lo anterior tienes que añadir ciertos aspectos de género que han podido influir en la imagen que tienes de ti mismo. «Un hombre tiene que saber defenderse, si te ocurrió esto es porque tú te dejaste, etc.» Existe el mito social de que un hombre debe defenderse hasta la muerte antes que ser agredido, independientemente de que fueras un niño o de que, aun siendo adulto, tu propia vida estuviera en peligro. Además, generalmente los abusadores son hombres y, en muchos casos, planea el fantasma de la homosexualidad, como si fuera algo que el abusador «contagia» al niño del que abusa.

Podría ser que todos estos mitos sociales y fantasmas, que influyen tan poderosamente en la autoimagen, te hayan dificultado hablar de los abusos y pedir ayuda, aumentando, así, la sensación de aislamiento, de que algo falla en ti y de que no has cumplido con las expectativas sociales de tu género.

En el caso de adultos agredidos, a veces el problema de autoimagen tiene que ver con los mensajes sociales: «Tú te lo buscaste», «Si hubieras querido lo habrías evitado», etc.

La confianza

La confianza, sobre todo en aquellas personas que nos cuidan, es una cuestión de supervivencia desde los primeros momentos de nuestra vida. Para tener equilibrio emocional necesitamos confiar en otras personas y también necesitamos desarrollar la confianza en nosotros mismos y en nuestras propias capacidades. Pero también nos es preciso otro tipo de confianza, la seguridad que nos proporciona creer que vivimos en un mundo esencialmente justo, que lo que ocurre en el mundo y en nuestras vidas obedece a una causa y que existe un cierto orden universal.

Las agresiones sexuales, desgraciadamente, desmienten esas creencias y con ello hacen desaparecer la sensación de seguridad que nos proporcionan. Quizá la situación más grave sea aquella en la que se rompe la confianza en las personas de las que dependes, cuando los que tienen que cuidarte y protegerte abusan de ti. La expresión más extrema de esta situación es el incesto, sobre todo si el abusador es uno de los padres. La confusión o el desamparo en el que pueden sumir al niño o a la niña puede ser brutal. Cuando las personas que se supone que te tienen que cuidar se convierten en agresoras, la situación es difícil de asimilar. Las consecuencias son parecidas si el abusador es una persona significativa para el niño y/o su familia, aunque no se trate de nadie perteneciente a su familia. Cuando alguien te traiciona y te hace daño es lógico que aprendas a dudar. Además, la ley del silencio te enseña a no hacerlo, no has de confiar tus emociones ni contar lo que te pasa a nadie. Puede ser algo menos doloroso cuando el niño encuentra algún adulto protector.

La otra consecuencia gravísima de esta situación es la pérdida de confianza en ti misma, cuando aprendes a desconfiar de tus emociones, pensamientos y percepciones porque las personas importantes para ti te transmiten constantemente el mensaje de que estás equivocada. Esto sucede, en gran medida, debido a los mensajes del abusador: «Esto es algo bueno para ti», «Sé que en el fondo te gusta», «Esto no es lo que parece», «Lo hago por ti», «Tú me provocas y tienes la culpa de todo», etc., o bien cuando tu madre u otras personas de tu familia te dicen: «Eso son imaginaciones tuyas, es mentira» y a la vez hacen cosas que confirman que saben que es cierto lo que ocurre.

Esta sensación de desconfianza en uno mismo puede tener efectos devastadores en la vida de las personas. Puedes llegar a pensar que lo has soñado todo o que algo en tu cabeza funciona tan mal que puede que estés gravemente enferma o que estés enloqueciendo.

Relaciones personales

Las relaciones personales son indispensables, todos necesitamos a los demás para vivir y necesitamos saber que somos especiales para algunas personas.

Sin embargo, si eres superviviente de una agresión sexual es normal que te sientas aislada o diferente de los demás, que te asuste la intimidad y que te cueste confiar en otras personas y, por ello, evites las relaciones de proximidad. Si la persona que abusó de ti es alguien en quien confiabas, es lógico que desconfíes de los otros. Si es uno de tus padres todavía es más difícil volver a confiar en alguien. Si la persona que debía cuidar de ti y protegerte te hizo daño, ¿en quién confiar? También es posible que te ocurra si el agresor fue alguien más lejano de tu entorno o incluso un extraño pero tu familia, al descubrirlo, no respondió de forma protectora y sensible.

La desconfianza, entre otros factores, hace que algunos supervivientes busquen relaciones esporádicas y encuentros sexuales breves y poco satisfactorios que refuerzan todavía más esa sensación de desconfianza hacia los demás. Debido a que este tipo de relaciones no dan seguridad y las relaciones íntimas y profundas pueden asustarte mucho, es fácil que entres en una especie de espiral. Para no arriesgarte en las relaciones íntimas buscas relaciones esporádicas, pero éstas aún te generan más miedo a la intimidad y más desconfianza.

Algunas personas pueden mostrar un malestar inexplicable ante cierto tipo de contacto físico, como que alguien les roce un brazo o con la simple proximidad física.

La agresión puede haberte generado dificultades en las relaciones de pareja —algunas supervivientes entran en relaciones de pareja en las que se repite el abuso a diferentes niveles (véase el apartado dedicado a la revictimización) y otras personas perpetúan el abuso, convirtiéndose ellas mismas en abusadoras.

Quizá tienes una relación estable y satisfactoria, pero a tu pareja le cuesta entender algunas de las cosas que te ocurren o cómo actúas. Una situación así puede generar tensión en la relación, llevar a malentendidos y conflictos. Quizá la relación es muy positiva, pero tu pareja se siente confundida y sin saber cómo ayudarte. También cabe la posibilidad de que durante años los abusos no hayan generado problemas en vuestra relación, pero a partir de algún momento, concreto o inespecífico, los abusos se hayan convertido en un gran problema individual y de pareja; ya has visto antes que hay momentos especialmente críticos en el ciclo vital.

Quizá durante algún tiempo la única forma de sentir que tenías cierto control sobre tu vida fue mantener el secreto —algo que te ha mantenido atrapada pero que, al mismo tiempo, quizá te ha dado cierta sensación de poder respecto al agresor—. Sin embargo, muchas veces el secreto se sigue guardando cuando ya no es necesario, provocando una sensación de aislamiento y de que no puedes relacionarte de forma libre y honesta con los demás.

Revictimización

Existe un número importante de personas que han sufrido abusos en la infancia y, a lo largo de su vida adulta, viven algún otro tipo de agresión o violación. Si has sufrido abusos en la infancia tienes un riesgo mayor de sufrir agresiones sexuales o físicas en la vida adulta. Esto no se debe a que sea un castigo merecido ni a que hay algo malo en ti, como es posible que tu agresor te haya hecho creer en más de una ocasión con mensajes del tipo: «No vales nada», «Nadie te va a querer»,«Sólo sirves para esto», etc.

Si sufriste abusos en la infancia tu cuerpo tiene el recuerdo del abuso grabado en él y el de todas las emociones que lo acompañaron. Incluso aunque tú no seas consciente, aunque no lo sepas, lo que ocurrió no sólo está grabado en tu mente, sino que también lo está en el resto de tu cuerpo. Eso quiere decir que ante una situación de peligro es más fácil que tu cuerpo vuelva a reaccionar inconscientemente de una forma que ya conoce, que tus alertas se disparen antes. Esto a veces nos hace sentir protegidos, pero otras tiene el efecto opuesto y nos paraliza.

Además, la historia de los supervivientes a veces está llena de dolor, y cuando una persona sufre es más vulnerable. Los agresores buscan personas vulnerables, así que no es de extrañar que entre ellas se encuentren numerosas supervivientes de abusos en la infancia. La vulnerabilidad es algo que a veces se nota en los gestos, en la forma de mirar, y los agresores son expertos en captar estos mensajes no verbales. Esto no implica que tú tengas algún tipo de responsabilidad en lo que ha ocurrido, no importa si has vivido una agresión en tu vida o has vivido varias.

Algunas agresiones se repiten porque la superviviente se pone en situación de riesgo: va por lugares peligrosos o se relaciona con personas que lo son. Esto está muy ligado a una baja autoestima; algunas supervivientes sienten que no merecen nada bueno en la vida o entran en relaciones peligrosas creyendo que es una forma de expiar su culpa. Si alguna vez te ha ocurrido algo así, recuerda que la responsabilidad de la agresión sigue siendo del agresor, completamente.

Parentalidad

Ser padre o madre no es nunca una tarea fácil, siempre existe el miedo a equivocarse, a no ser capaz de proteger y educar a los hijos de forma adecuada. Si has sufrido abusos en la infancia es lógico que estos miedos se acentúen.

El miedo a ser madre o padre y a no ser capaz de proteger a los hijos es un miedo habitual en supervivientes —sobre todo en el caso de las mujeres—. Si el abuso se produjo dentro de la familia, el miedo todavía es más normal.

Algunas mujeres desconfían de sus parejas o están muy pendientes de sus hijos por miedo a que les ocurra una agresión. Otras personas, en cambio, muestran una actitud distante respecto a los niños ya que éstos les recuerdan su propia infancia y con ella los abusos.

Hay padres que tienen dificultades para proteger a sus hijos de futuros abusos. Si tus padres no pudieron o no supieron protegerte y tienes dudas respecto a si tú podrás proteger a los tuyos, sería bueno que buscaras ayuda psicológica. También sería bueno que lo hicieras si en algún momento has sentido que se podría perpetuar el incesto dentro de tu familia.

También hay muchas madres y padres supervivientes que, justamente por lo que vivieron, se convierten en unos padres cuidadores, sensibles y protectores.

Conductas autodestructivas

Este tipo de conductas puede oscilar desde *automutilaciones* hasta *intentos de suicidio*, pasando por *abuso de drogas y otras adicciones* y *problemas alimentarios*. Tampoco es extraño observar en el caso de adolescentes conductas como *robos*, *mentiras*, *escapadas de casa*, etc., que a veces pueden perdurar a lo largo de la edad adulta.

«Si yo me hago daño siento que lo puedo controlar»: es difícil de explicar, y quizá más de entender, pero para algunas personas —sobre todo si viven muy disociadas[4] de su cuerpo—, ponerse en situa-

4. Disociación: mecanismo de defensa que consiste en una desconexión del propio cuerpo y las emociones. Para más información véase el apartado «¿Qué has hecho para sobrevivir?», pág. 73.

ciones de riesgo es la única manera de sentirse vivas. También puede ser un autocastigo, una forma de pedir ayuda o una forma de reducir el dolor emocional. También puede ser una forma de sentir que tienen el control.

«Mi cuerpo me traicionó y no lo puedo perdonar», «No me gusta mi cuerpo. El cuerpo implica sentir y yo no quiero sentir»: los trastornos alimentarios van asociados al disgusto con el propio cuerpo, la feminidad y la sexualidad o son una forma de castigarse. Los abusos son algo que ocurre en el cuerpo y eso puede hacer que llegues a sentirlo como un enemigo, como una parte de ti que te traicionó.

Es posible que hayas vivido alguna de estas experiencias en tu propia piel o que no hayas llegado a tener un problema tan grave pero sientas, de todas formas, una especie de rechazo hacia tu cuerpo. Recuerdo a una adolescente que al dibujarse a sí misma sólo pintó la cabeza diciendo: «Lo demás no es importante».

El abuso de drogas también puede ser una forma de anestesiar las emociones y de controlarlas, una forma de castigarte, de evadirte, etc. Si en algún momento de tu vida tu dolor ha sido tan intenso que has recurrido a las drogas, el alcohol o los tranquilizantes, ha habido un trastorno alimentario o te has infligido autolesiones, es importante que busques ayuda profesional.

Dolores físicos y psicosomáticos

A veces ocurre que, cuando el sufrimiento emocional es elevado y no podemos expresar con palabras lo que nos ocurre, es nuestro cuerpo quien se queja y a través de él se manifiesta dicho sufrimiento.

Quizás has tenido algún tipo de malestar o dolencia para los que no se encontraba ninguna causa física —como dolor de estómago, lumbalgias, migrañas, soriasis, alergias, fibromialgia, etc.—, quizás has sufrido accidentes frecuentes o diferentes enfermedades físicas recurrentes, además de infecciones o dolor pélvico y vaginal.

Los profesionales llaman a esas enfermedades psicosomáticas, que quiere decir que su causa es psicológica. Un intenso dolor emocional nos puede enfermar físicamente. No quiere decir que no se trata de una enfermedad real ni que tú te la inventas, sino que su causa es emocional. En el caso de los abusos sexuales, el hecho de que normalmente se trate de un secreto del que no se puede hablar hace que se genere mucho estrés y que bajen las defensas del organismo.

El sueño y el dormir

Es posible que tengas dificultades para dormir o que te despiertes con facilidad, asustado, sobre todo si tienes pesadillas. Las pesadillas pueden girar en torno al abuso o a otros aspectos de tu vida que puedan ser angustiosos para ti o puede tratarse de sueños extraños, aparentemente sin ningún sentido pero que por alguna razón te dejan intranquila; quizá no recuerdas el contenido de tus sueños, pero al despertar tienes la sensación de que se trataba de algo desagradable.

A lo mejor no tienes pesadillas pero sí miedo a estar solo en una habitación, a la oscuridad, la sensación de que hay alguien —aunque sepas que no hay nadie más en casa—, dificultad para cerrar los ojos con tranquilidad, etc.

Sexualidad

La sexualidad es un área muy significativa en la vida de todas las personas. En el caso de personas agredidas, no he conocido a nadie —sea hombre o mujer— para quien la agresión no haya tenido un impacto significativo en este aspecto de su vida. Esto no quiere decir necesariamente que las relaciones sexuales sean problemáticas o poco satisfactorias —aunque lo son en muchos casos—, sino que los abusos influyen de forma poderosa en la forma de vivir la sexualidad —por ejemplo, con conductas sexuales que se vuelven intolerables, la repetición de algunos actos de forma ritualizada, etc.

Algunas personas sienten un gran rechazo hacia el sexo, falta de interés, insatisfacción u otros problemas —vaginismo en mujeres, problemas de impotencia o de eyaculación retardada en hombres, ausencia de orgasmos, falta de excitación en ambos sexos, etc.—. Otras, por el contrario, experimentan una hipersexualización y llevan una vida sexual promiscua, muchas veces poco satisfactoria.

«Tenía relaciones sexuales con muchos hombres, no sentía nada pero no decía que no. No sé explicar por qué lo hacía»: tampoco es infrecuente llegar a la prostitución. No a todas las mujeres que son víctimas de agresiones les ocurre, pero es preocupante el número de mujeres que se dedican a la prostitución y que han sufrido agresiones sexuales en la infancia o en la adolescencia.

Es posible que tu caso no sea ni un extremo ni el otro, pero que en medio de una relación sexual satisfactoria, un gesto, una palabra o una caricia determinada te evoquen emociones que te incomoden o te hagan recordar o revivir algún momento del abuso.

Si se trató de un incesto es posible que te marcharas de casa joven o que te hayas emparejado pronto para huir del entorno familiar y poner fin a la situación abusiva.

Es posible que sientas confusión entre lo que es afecto y sexo. Hay niños que sólo se sienten queridos por la persona que abusa de ellos o sienten que sólo existen para el adulto en los momentos en los que ocurre el abuso. También existen familias en las que el afecto tiene un gran componente sexual y los niños aprenden a buscar afecto a través de las relaciones sexuales.

Hay personas que sólo pueden alcanzar orgasmos a través de la masturbación solitaria, que es la única situación segura para ellas.

Es posible que alguna de estas situaciones te resulte familiar e incluso que no fueras consciente hasta ahora de que te había ocurrido.

Cuando la víctima se convierte en victimario

Para cada persona, el ambiente en el que nace y es educada constituye su primer referente y su criterio de normalidad. También es así para quienes han nacido en familias en las que las normas de relación están muy distorsionadas; lo que es habitual en tu familia se convierte en normal para ti.

Por eso algunos supervivientes acaban abusando de otras personas. En muchas familias los abusos se van perpetuando de generación en generación, incluso pueden llegar a producirse en varias generaciones simultáneamente.

En otros casos —más en hombres que en mujeres debido a la presión de género—, para poder convivir con el abuso y el dolor que comporta en la familia, algunas personas utilizan una estrategia que consiste en decirse a sí mismas que en realidad no fue un abuso, o se dan argumentos para convencerse de que era algo normal. Pero disfrazar la realidad y quitar importancia a las agresiones puede llevar a perpetuarlas.

En otros casos abusar de otras personas puede ser una forma de liberar el dolor reprimido. De esta forma, la víctima se identifica con el perpetrador y acaba ocupando su lugar.

Existe otra razón por la que alguien que ha sufrido abusos puede llegar a abusar de otros. Por extremo que parezca, algunas personas sólo sintieron que se las tenía en cuenta en su infancia a través de los abusos y no pudieron establecer un límite entre afecto y sexo. Estas personas pueden llegar a abusar de otros confundiendo ambas cosas.

Si tú te encuentras en alguna de estas situaciones y has utilizado el sexo de forma que has dañado a otra persona (aunque no hayas utilizado la violencia física), sobre todo si se trata de un menor, te sería de gran utilidad buscar ayuda psicoterapéutica.

Flashbacks

Los *flashbacks* son experiencias en las que una persona revive una situación traumática como si estuviera volviendo a ocurrir en ese momento.

Se pueden producir en el transcurso de una relación sexual o ante cualquier otra situación que te haga conectar con el abuso. Pueden ser enormemente angustiosos y puede que sientas una gran falta de control. Suelen generar ansiedad y en algunos casos incluso ataques de pánico (taquicardia, sudoración, sensación de falta de aire, etc.).

Existen diferentes modalidades: pueden ser emocionales (puedes experimentar miedo, rabia o tristeza sin saber cuál es la razón), visuales (puedes ver imágenes del abuso como si estuvieran ocurriendo en el presente), auditivos (puedes oír voces o sonidos que oíste durante los abusos, por ejemplo el sonido de una respiración, una carcajada, etc.). También pueden ser sensaciones corporales, puesto que nuestro cuerpo tiene memoria y es posible revivir experiencias (dolores físicos, temblor, angustia, asco, etc.). Las diferentes modalidades de *flashbacks* pueden ocurrir de forma separada o conjuntamente, y pueden darse aunque no tengas ningún recuerdo consciente del abuso.

La suciedad y la limpieza

Algunas personas tienen pensamientos recurrentes, que no se pueden quitar de la cabeza, como la idea de que pueden hacer daño a alguien o pueden tener miedo a contagiarse o a estar sucias. Esto último a veces provoca una intensa preocupación por la limpieza, hasta tal nivel que este hecho puede interferir con su vida diaria, ocupando en exceso su tiempo y su mente y creando dificultades de relación e incluso aislamiento. Los signos más frecuentes —aunque no los únicos— suelen tener que ver con la sensación de suciedad asociada al cuerpo. Algunas personas pueden ducharse seis o siete veces al día, restregarse con guantes de crin hasta levantarse la piel o con agua tan caliente que la piel se llena de ampollas, etc. También puede haber miedos relacionados con tocar o ser tocada por otros o con contaminarse por tocar cosas que han tocado otros, o la necesidad de lavarse las manos recurrentemente a lo largo del día, etc.

Si experimentas este tipo de pensamientos y de comportamientos «ritualizados», sabes el sufrimiento que provocan. Son pensamientos constantes que interfieren con la vida diaria y los rituales de lavado se suelen volver cada vez más frecuentes. Si al cabo de unos meses no desaparecen, sería recomendable que buscaras ayuda profesional.

Regresar a la infancia

De todos es sabido que los niños, ante situaciones que son muy estresantes o angustiosas para ellos, vuelven a tener conductas o reacciones propias de etapas anteriores que ya parecían superadas. Por ejemplo, niños que vuelven a mojar la cama cuando previamente habían conseguido ya el control de esfínteres, que repiten comportamientos infantiles como chuparse un dedo, etc., en edades en las que no es habitual hacerlo.

También en adolescentes y adultos se pueden producir experiencias regresivas en situaciones de mucho estrés. Quizá no son tan obvias como en los niños, pero un adulto puede experimentar miedos infantiles que creía superados (a la oscuridad, a estar a solas, etc.) o comportarse ante una figura de autoridad como si fuera un niño desvalido.

A veces las experiencias regresivas pueden ser de tal intensidad que uno las experimenta como si realmente estuvieran ocurriendo de nuevo, mostrando las mismas sensaciones y emociones que se experimentaron siendo niño. En muchos casos, esto sucede al volver a ver al agresor, los familiares o las personas que estaban directamente relacionadas con el abuso.

Quizás en un grado de mayor o menor intensidad te haya ocurrido algo así, pudiendo haberlo vivido con extrañeza o con impotencia. Estos fenómenos ocurren con más frecuencia de lo que creemos.

Memoria y concentración

También es posible que hayas tenido problemas de memoria o de falta de concentración, hasta el punto de tener dificultades en los estudios o en el trabajo por no poder prestar atención. Quizá no te habías dado cuenta de que esto te había sucedido. Pero si recuerdas en qué período de tu vida sufriste las agresiones, es posible que descubras que empezaste a ir mal en la escuela o que empezaste a tener problemas en el trabajo por no poder concentrarte o porque tenías más despistes de lo habitual. Sobre todo si sufristes abusos en la infancia es normal que no te dieras cuenta de lo que sucedía; estas dificultades se detectan porque existen problemas de rendimiento escolar. Se necesita tanta energía para sobrevivir a los abusos que no queda casi nada disponible para concentrarse en las cosas del día a día.

Si has sufrido una violación u otro tipo de agresión siendo adulta, sobre todo si es reciente, es posible que hayas notado cómo te cuesta mantener la atención en una conversación, mirar la televisión, leer un libro o una revista, centrarte en el trabajo, etc. Es posible que la agresión ocupe tanto espacio en tu cabeza que no puedas pensar en nada más.

Este problema suele ser transitorio si la agresión es puntual y cambia a medida que la persona va recuperando el control sobre su vida. En los casos de agresiones crónicas el efecto sobre la concentración y la memoria puede ser más duradero.

Cuando el dolor pone en riesgo la propia salud mental

Es posible que te hayas encontrado con una larga historia de depresiones, altibajos emocionales o con un terrible miedo al abandono y que hayas reaccionado con un sufrimiento intenso cuando piensas que una persona significativa te puede abandonar. A veces estos sentimientos pueden ser tan angustiosos que impiden a las personas tener relaciones estables y continuar con la vida diaria, incluso desear seguir viviendo.

A veces el dolor puede hacer que pierdas el contacto con lo que te rodea. Para algunas personas perder el contacto con la realidad es la única forma de sobrevivir al dolor. El sufrimiento se puede convertir en algo duro pero fiable, conocido y, por lo tanto, cuesta abandonarlo porque da seguridad.

Si éste es tu caso, sería muy útil que consultaras con un profesional cualificado que pueda entender tu dolor intenso y te pueda ayudar a encontrar salidas a tu situación.

Trastorno por estrés postraumático

Se llama Trastorno por Estrés Postraumático (TPEP) a un grupo de síntomas que presentan aquellas personas que han vivido una experiencia traumática en la que su integridad física o emocional estaba en peligro.

El TPEP es una reacción normal de nuestro cuerpo y de nuestra mente ante un acontecimiento que no es normal. Por ello se ha descubierto que prácticamente cualquier persona sometida a un nivel de estrés extremo puede desarrollar este trastorno. El TPEP no es una enfermedad, es la forma que tenemos de adaptarnos a situaciones extremas de daño emocional o físico. Se da en situaciones como una guerra, un accidente de coche, una violación, un incendio, abusos sexuales en la infancia, etc.

No todas las personas que pasan por una experiencia de este tipo desarrollan necesariamente un TPEP, pero prácticamente todas presentan al menos algunos de los síntomas, así que es muy posible que hayas experimentado alguna de las reacciones que describiré a continuación o quizá todas ellas:

- Volver a experimentar el acontecimiento a través de pensamientos, imágenes, sueños y *flashbacks*.
- Malestar intenso al enfrentarte a lugares, objetos o cualquier otro estímulo que recuerde la agresión, realizando esfuerzos por evitarlos o por no recordar.
- Incapacidad para recordar aspectos importantes del acontecimiento traumático.
- Falta de interés por lo que te rodea y sensación de aislamiento de los demás.
- Sensación de insensibilidad o de incapacidad de sentir.

- Sensación de que el futuro es desolador.
- Dificultades para conciliar o mantener el sueño.
- Irritabilidad o ataques de ira.
- Dificultades para concentrarte.
- Hipervigilancia (estar siempre a la expectativa, en estado de alerta).
- Respuestas de sobresalto muy intensas.

Aun así, el TPEP es sólo una parte de las reacciones que puede tener una persona ante una agresión sexual. Ya has visto a lo largo del capítulo cómo aparecen muchas más reacciones que las que corresponden al TPEP, y posiblemente algunas de ellas las has experimentado tú misma. Los profesionales que trabajan con supervivientes de sucesos traumáticos coinciden en que el TPEP no describe todas las consecuencias que dicha experiencia puede tener para quien la vive, sino sólo una pequeña parte. Quizás el TPEP se adecua más para explicar agresiones puntuales en las que el agresor es un extraño, pero en agresiones crónicas, sobre todo cuando se han producido en la infancia y en las que quedan afectados aspectos fundamentales de la identidad de la persona, este diagnóstico es muy incompleto.

El TPEP puede ser de dos tipos, agudo o crónico. En el primer caso la reacción se produce inmediatamente después de que ocurra el acontecimiento traumático. En casos de niños no suele ocurrir, pero sí es posible que tuvieras miedo, evitaras lugares o estímulos relacionados con el abuso o sintieras mucha rabia sin saber bien por qué. En cambio, es muy frecuente en agresiones sexuales a adultos.

En el caso del TPEP crónico o retardado, el trastorno se presenta meses o años después de la experiencia traumática. Esto ocurre muchas veces en personas que tuvieron que esconder sus sentimientos respecto al abuso cuando éste estaba ocurriendo y vivir como si no ocurriera nada y no han tenido la oportunidad a lo largo de su vida de hablar de lo ocurrido ni de mostrar sus emociones. Si te ha ocurrido algo así, es posible que hayas empezado a experimentar algunos de los síntomas de repente sin encontrarles una explicación relacionada con tu vida actual.

Dice Judith Herman, que lleva treinta años trabajando con supervivientes de agresiones sexuales, que «los acontecimientos traumáticos son extraordinarios, no porque ocurran con poca frecuencia, sino porque desbordan nuestro sistema ordinario de adaptación a la vida». Según ella, en el trauma se alternan dos reacciones contrapuestas: la de revivir el acontecimiento traumático y la de desconectar emocionalmente e incluso eliminar los recuerdos de la conciencia.

A veces, en un proceso de psicoterapia, al inicio no hay síntomas de TPEP, pero a medida que vas hablando de tus recuerdos van surgiendo más y más emociones y síntomas. De hecho, es posible que sientas que cada vez estás peor. Pero, a largo plazo, si puedes expresar tus experiencias con palabras, tu estado de ánimo y tu vida en general mejorarán mucho.

Ruptura de la imagen del mundo

Las personas necesitamos tener cierta sensación de invulnerabilidad. Esto lo conseguimos pensando que «el mundo es un lugar seguro» o bien que «el mundo es un lugar peligroso, pero yo estoy a salvo, estas cosas sólo les ocurren a los demás». Cuando una persona sufre una agresión sexual, sobre todo si es repetida, se hace muy difícil continuar manteniendo estas ideas. Lo que se siente es que uno está en peligro, «el mundo es un lugar hostil e inseguro».

Otra idea que solemos tener las personas es que los acontecimientos tienen causas lógicas. Si yo hago daño a alguien esa persona me lo puede devolver. Por lo tanto, la imposibilidad de entender la causa del abuso o la inexistencia de la misma nos provoca angustia y sufrimiento. ¿Por qué un adulto abusa de un niño?, ¿por qué alguien mantiene sus rutinas cotidianas y un extraño las viola?, ¿por qué alguien en quien confías te hace daño?

Esto hace que el mundo se vuelva un lugar poco predecible. Las personas necesitamos poder anticipar en cierto grado nuestro futuro para dar sentido a nuestras vidas y que los acontecimientos entren dentro de lo previsible. Así podemos entender que nuestras conductas provocan determinadas reacciones y sabemos cómo actuar. Eso nos proporciona sentimientos de seguridad y confianza en nosotros mismos y en los demás. Dado que las agresiones sexuales no tienen explicación para quien las padece, es preciso buscar una causa para poder hacer predicciones sobre el futuro, por eso a menudo la persona se pregunta: «¿Qué es lo que he hecho yo?, ¿qué hay de malo en mí?, ¿quizás algo que yo desconozco?». Esto también puede provocar crisis personales graves al sentir que la justicia, la vida y las personas no valen la pena ni tienen sentido.

EJERCICIO

Coge papel y lápiz y trata de anotar cuáles de estos efectos has experimentado o estás experimentando en estos momentos. Quizá sería bueno para empezar que simplemente los enumeraras.

Si te resulta difícil hacerlo, puedes pensar en lo que has leído, coger un papel y unos colores y pintar cualquier cosa que te surja. Éste puede ser un primer paso para poner luego en palabras lo que te ocurre.

¿QUÉ HAS HECHO PARA SOBREVIVIR?

Las agresiones sexuales son una experiencia difícil, sobre todo si las has tenido que mantener en silencio. Los niños a menudo encuentran mecanismos de defensa o estrategias para afrontar la situación que en el momento en el que ocurren los abusos son muy útiles, aunque, con el paso del tiempo, algunos se pueden convertir en un problema. De hecho, todos los efectos que hemos explicado en el apartado anterior son intentos de sobrevivir. Todas las emociones que has podido sentir son formas de darle sentido a tu experiencia;

perder la confianza en los demás es una forma de protegerte de daños posteriores; tomar drogas es una forma de desconectar del dolor extremo, etc. Si las analizas verás que todas tus reacciones han tenido un sentido en tu vida, te han ayudado a sobrevivir, aunque no siempre fuera de la manera más positiva.

También los adultos ponen en marcha mecanismos de defensa ante una agresión que se pueden convertir, con el paso del tiempo, en estrategias poco adaptativas.

La negación

Una de las estrategias que es posible que hayas utilizado es la negación. Consiste en reprimir los recuerdos y sentimientos asociados a la agresión o minimizarlos. Por ejemplo, decirte que la agresión no ocurrió, que no fue tan terrible o no tuvo tanta importancia. Que no te puso una navaja en el cuello y, por lo tanto, no fue una violación aunque te sentiste forzada a mantener aquella relación sexual y desde entonces algo ha cambiado dentro de ti. Es difícil convencerse de algo así, pero una vez lo logras ayuda a tirar adelante. El grado de negación puede ser tan intenso que una persona puede llegar a dudar de si la agresión ocurrió realmente.

Darte argumentos racionales del tipo «En realidad aquello no fueron abusos» o «No fue una violación porque acepté salir con aquel chico y si aceptas una cita implícitamente estás aceptando tener relaciones sexuales», «Si has aceptado tener sexo un día no te puedes negar la siguiente vez», «Quizá no era lo que parecía», etc., es otra forma de negar lo sucedido.

La negación es muy útil en los momentos iniciales porque te da tiempo para rehacerte, para dedicarte a otras cosas y recuperar la serenidad, tomar una cierta distancia que te haga sentir más segura, etc. Pero luego es necesario dejar de usar esta estrategia y utilizar otras que te permitan conectar con tus emociones, puesto que la negación te impide sentir y has de poder hacerlo para afrontar la agresión de forma saludable. Sentir no significa sumergirte en el sufrimiento sino, simplemente, conectar con una parte de ti que quizás estaba dormida: experimentar las emociones dolorosas pero también las positivas.

La disociación

Otra estrategia de afrontamiento es la disociación, que puede ser de gran ayuda en el momento en el que ocurren los abusos o la violación pero deja de serlo si persiste en el tiempo. Consiste en separar los sentimientos dolorosos de la conciencia. Todos tenemos la capacidad de disociarnos en diferentes grados —por ejemplo, cuando soñamos despiertos—, pero si has sufrido abusos es posible que tengas la capacidad de disociarte con mucha facilidad. Es una forma de protegerte, de sentir que el agresor puede tener tu cuerpo pero no a ti, porque tú estás en otro lugar. Es posible que recuerdes el abuso pero que no haya sentimientos asociados —un ejemplo de disociación es cuando Toñi explica que imaginaba que era una piedra y no sentía—. Si has sufrido abusos repetidos es posible que tengas gran facilidad para disociarte en situaciones de estrés; es algo que puede interferir con tu vida diaria, creándote problemas para aprender, para concentrarte y fijar la atención, para mantener relaciones sexuales satisfactorias; es imposible que te sientas cómodo en una relación sexual si sientes que sales de la experiencia y la ves desde fuera.

- *La despersonalización*: otro fenómeno disociativo es la despersonalización, que se vive como una sensación persistente de distanciamiento de uno mismo (pensamientos, sensaciones, etc.) y del propio cuerpo. Es como si en todo momento supieras dónde estás y lo que está ocurriendo a tu alrededor, pero al mismo tiempo todo fuera extraño y lo experimentaras como lejano. Por ejemplo, puedes estar trabajando y saber que tus compañeros son tus compañeros y ése es tu trabajo y ésa tu tarea y, al mismo tiempo, lo experimentes todo como extraño y distante. Ésta es una forma de hacer más tolerables experiencias que no lo son y de poder continuar con la propia vida.

• *La amnesia*: es un grado más intenso de disociación en el que es posible bloquear ciertos acontecimientos e incluso períodos de tiempo más o menos largos y las emociones asociadas con ellos. Es posible que no recuerdes algunos momentos del abuso —por ejemplo, cómo empezó y cómo acabó—, o que lo recuerdes como si fuera un sueño o que después de una violación no sepas cómo llegaste a tu casa. Es posible incluso llegar a borrarlo durante largos períodos de tiempo. En un nivel más extremo, hay personas que no tienen recuerdos de su infancia o que han borrado varios años de su vida.

A veces los recuerdos, sin llegar a desaparecer, se fragmentan, de forma que puedes recordar una imagen pero no tener sentimientos asociados a ella o recordar un olor o un color que te producen malestar pero no recordar por qué.

Cuando la experiencia es muy desbordante, se puede eliminar de la conciencia. Digamos que nuestra mente es nuestra mejor defensa y borra aquello que no puede tolerar. Por la misma razón, recordamos o volvemos conscientes experiencias de nuestra vida cuando disponemos de los recursos suficientes para afrontarlas.

• *Personalidad múltiple*: la situación más extrema de disociación es lo que se ha llamado «personalidad múltiple», que para algunas personas es la única forma de alejar sus recuerdos y emociones para no sentirse desbordadas. Se trata de personas que desarrollan personalidades separadas en las que guardan diferentes recuerdos o emociones. Muchas veces la persona adopta otra identidad temporalmente olvidando la propia —las diferentes identidades no tienen por qué tener conciencia de las otras—. Se suele producir cuando ocurre el abuso, en casos de personas que han sido sometidas desde muy pequeñas a abusos muy severos, como una forma de olvidar el dolor. A veces una personalidad puede ser la parte «buena» y otra la «mala». Es una forma de bloquear recuerdos y emociones dolorosas. Aunque pudiera parecer una forma útil de manejar un sufrimiento intolerable, es un problema gravísimo que interfiere con la vida diaria. Se trata de un trastorno muy poco frecuente pero, dada su gravedad, se hace necesario seguir una atención psicoterapéutica y psiquiátrica.

Como se puede observar, la disociación es una cuestión de grados, que puede oscilar entre las ensoñaciones que podemos tener todas las personas hasta un trastorno de personalidad múltiple (Bean y Bennett, 1993).

El humor

Seguro que has utilizado alguna vez el sentido del humor como una forma de sobrevivir. A veces es pura ironía como forma de canalizar la rabia y otras una manera de mantener las emociones a distancia, de ver la situación de lejos.

Sea cual sea su uso, el humor ayuda a afrontar las situaciones de la vida.

Estar eternamente ocupado

Algunas supervivientes son excelentes profesionales, buenas deportistas, buenas amas de casa y estupendas madres. Están ocupadas las 24 horas del día porque ésa es una forma de mantener a raya las emociones y de no pensar.

Estar ocupada también puede significar estar mentalmente ocupada. Por ejemplo, quizá llenas tu mente con proyectos, con planes, con cualquier cosa que te permita que no se cruce por tu imaginación nada relacionado con la agresión. Este mecanismo se puede convertir en tu forma de funcionar y se puede desencadenar de una manera tan automática que no lo puedes frenar ni siquiera cuando deseas hacerlo; por ejemplo, cuando deseas relajarte, disfrutar de tus vacaciones, etc.

Control

Una agresión sexual es una experiencia de falta de control absoluta. Tu vida y tu cuerpo están en manos de otra persona. No es de extrañar que, a partir de esa situación, necesites «controlarlo todo».

Por otro lado, puede que estar pendiente de todo lo externo te ayude a escapar más de una vez de los abusos. Por lo tanto, ésta puede ser una forma de sobrevivir. Pero en un grado extremo puede generarte mucho sufrimiento y dificultades en muchas áreas de tu vida y en tus relaciones con los demás.

Imaginación

Muchas personas utilizan su imaginación para sobrevivir a situaciones terribles. Imaginar futuros posibles, desconectar de la realidad, soñar con vidas alternativas, son cosas que te han podido ayudar a sobrevivir. Puede que haya sido soñando despierta o a través del cine o la literatura.

...Y muchas más

Los seres humanos tenemos un instinto de supervivencia innato y poseemos recursos muy creativos para sobrevivir. Muchas veces se trata de capacidades de las que ni siquiera somos conscientes. Sería imposible enumerar aquí la cantidad de estrategias que una persona puede poner en marcha para sobrevivir a una situación extrema, como puede ser una agresión sexual.

Ejercicio

Coge un papel y anota qué es lo que has hecho a lo largo de tu vida para sobrevivir. Puedes anotar montones de cosas de las que no hemos hablado aquí. Sé creativa y piensa en todas las estrategias que has utilizado para salir adelante —incluso aquellas que a largo plazo hayan sido dañinas pero en un momento dado de tu vida te hayan servido. Por ejemplo, tomar alcohol es dañino pero a veces ayuda a anestesiar el dolor cuando se vuelve insoportable—. También es posible que hayas hecho cosas que indirectamente eran útiles porque te ayudaban a cuidarte, aunque no tengan que ver directamente con los abusos (estar con amigos, escuchar tu música favorita, darte permiso para disfrutar de algo, practicar un deporte, etc., cualquier cosa que hayas hecho que te haya resultado útil).

Factores que pueden influir en el impacto de la agresión

Existen muchos factores que influyen en el impacto que la agresión ha podido tener en tu vida. No suele haber ninguno que aisladamente explique dicho impacto, sino que es la suma de diferentes factores la que determina la gravedad del abuso.

Dicen algunos expertos que las consecuencias de un abuso son más graves si se produce durante mucho tiempo, si existe una relación muy próxima con el agresor y si la agresión incluye la penetración o va acompañada de violencia. Otros expertos consideran que son la edad de inicio y el tiempo que transcurre hasta que se revela el abuso los que inciden en el impacto del mismo.

Algunas de estas ideas tienen mucho que ver con la tipificación de los delitos a nivel judicial. Por ejemplo, una agresión que incluye penetración está penada con condenas más altas que una en la que no ha habido penetración. De la misma forma, si es una agresión repetida se contempla de diferente manera que si es una agresión puntual. Pero eso no tiene nada que ver con los efectos que puede tener para la persona. El dolor que produce una agresión sexual muchas veces tiene que ver con cuestiones mucho más sutiles y difíciles de detectar.

Si un día una persona en la que confías mucho empieza a tocar tus genitales, el acto puede durar un minuto, pero la vida quizá no volverá a ser nunca igual. No importa que ocurra sólo una vez, no importa que no haya penetración ni violencia. Algo fundamental en esa relación se rompe. No es sólo lo que ocurre, sino también lo que significa para ti. Quizá no hay señales físicas, pero quedan heridas invisibles, porque seguramente lo peor de todo es cómo el agresor ha utilizado la confianza que tenías depositada en él. Freyd (2003) habla de la traición y dice que «cuanto más dependa la víctima del agresor —más poder tenga éste sobre la víctima en una relación íntima y de confianza—, mayor será la proporción de traición de la afrenta».

Una superviviente con quien trabajé y a quien su padre había tocado sólo una vez en los genitales sin llegar a penetrarla me dijo: «Aquel día todo mi mundo se vino abajo. Mi padre era la persona más importante de mi vida, confiaba en él ciegamente. Nada volvió a ser igual jamás».

Así, una experiencia abusiva puede tener graves consecuencias aunque se haya producido sólo una vez, y mucho más si se prolonga en el tiempo. La situación se agrava si has sido víctima de abusos por parte de diferentes personas, en diferentes épocas o simultáneamente.

La edad de inicio de la agresión es significativa, porque cuanto más pequeño eras menos recursos poseías para enfrentarte a la situación. Sin embargo, el grado de violencia física no siempre va unido a efectos más negativos —cuando se trata de niños—. Más bien es todo lo contrario, la manipulación psicológica por parte del adulto es la que le permite abusar del niño sin que el menor comprenda lo que ocurre. Si hubiera violencia el niño se pondría en estado de alerta mucho antes. Si no hay uso de la fuerza uno puede llegar a dudar y preguntarse: «Y si no me forzó, ¿por qué no me resistí?».

En el caso de que la agresión te haya ocurrido de adulta las cosas no necesariamente están más claras. La sociedad suele imaginar una violación al estilo del «violador del ascensor» (un extraño te asalta con una navaja en el portal de casa o en un descampado). Y ciertamente muchas violaciones son así. En este tipo de agresiones lo más duro suele ser el temor por la propia vida, la violencia física y la humillación. Pero ¿qué ocurre cuando el violador es tu jefe, un amigo íntimo, un conocido o un ligue de una noche? Y, sobre todo, ¿qué ocurre cuando el violador es tu propia pareja? A veces el límite entre lo que es y no es una agresión sexual no está muy claro, y tampoco las emociones que lo acompañan.

¡Cuántas mujeres se han sentido violadas por su propia pareja pero ni siquiera le han podido poner este nombre! «Tenía un mal día», «No fue lo que parece», etc. Ceder a una relación que no se desea mantener por miedo también es una agresión sexual. Cualquiera puede tener un mal día, pero ésa no es una razón para forzar a otra persona a hacer algo que no desee.

Crecer en una familia que no pudo cuidar de ti

Si has crecido en una familia que no pudo cuidar de ti es posible que hayas sufrido carencias importantes en tu desarrollo y que muchas de tus necesidades básicas no se hayan satisfecho. Algunas de las cosas que han podido pasar es que tus sentimientos hayan sido ignorados, que hayan invadido tu intimidad, que hayas aprendido a desconfiar de los demás y quizá te sientas muy sola o muy aislada. Es posible que hayas construido un muro para protegerte de los otros.

Si la familia es impredecible es posible que hayas aprendido a estar siempre alerta, esperando una pelea en cualquier momento, muchas veces por el detalle más insignificante. Esto suele ocurrir cuando no hay normas claras, y un mismo comportamiento puede ser visto algunas veces como bueno y otras como malo; eso quiere decir que no tienes ningún referente, nada que te permita predecir lo que puede ocurrir si tú u otro miembro de la familia se comporta de una determinada manera.

En estas circunstancias hay personas que buscan afecto fuera de la familia en individuos que a veces se pueden aprovechar de sus carencias y de su indefensión. Puedes sentir que algo no anda bien, pero en esas circunstancias tu familia no responde. Si tus padres no pueden manejar sus propios sentimientos difícilmente te van a poder ayudar a ti a manejar los tuyos.

Es normal que si has crecido en una familia así sientas que hay algo dentro de ti que no funciona. Si recibes críticas y rechazo es posible que no te valores demasiado y que creas que tú eres la culpable de la situación. Si eso es así, quizá sientas en alguna parte muy profunda de ti que mereces lo que te sucede. Es más fácil sentir culpa que impotencia y desamparo —si tú tienes la culpa sientes que de alguna forma controlas la situación, que hay algo que tú puedes hacer, aunque no sepas qué—. Lo malo es que si tú te sientes poco valiosa es posible que atraigas a personas que te traten como si realmente fueras poco valiosa.

¿Con qué tipo de personas te relacionas?, ¿son personas que te tratan con cuidado y con respeto?, ¿te relacionas con personas que no te tratan demasiado bien? Piensa con quién tienes relación y fíjate en cómo es su actitud contigo.

En algunas familias existen normas rígidas y claras —aunque no suelen ser explícitas, es decir, no se habla de ellas pero todo el mundo sabe que existen—. Claudia Black (Bean y Bennett, 1993) estableció tres reglas propias de las familias en las que un miembro es alcohólico que se podrían extender a muchas otras familias con relaciones difíciles:

- «No debes hablar con nadie de nuestras cosas; lo que ocurre en nuestra familia se queda aquí»: esta regla anima a guardar silencio, a no hablar de los problemas que tienes con nadie, a permanecer aislada. Y es fácil que lo cumplas por lealtad a la familia.
- «No dejes que nadie sepa cómo te sientes, puesto que tus sentimientos no cuentan»: si creces con este mensaje es difícil que tengas sentimientos positivos hacia ti mismo o que confíes en tus emociones y tus percepciones.

- «La gente no es de fiar, así que mejor que te protejas de los otros»: si tus padres no pueden confiar en otras personas te enseñan que es mejor no confiar en la gente de fuera de la familia. Si ellos son violentos o abusivos tampoco puedes confiar en ellos. Si no lo son pero te ha agredido alguien externo a la familia y tampoco puedes decírselo a ellos, la sensación de soledad puede ser terrible y el miedo a hablar con otras personas muy intenso.

¿Existen reglas no habladas en tu familia? ¿Cuáles son? Quizá te ayudaría enumerarlas y pensar de qué forma han influido en tu vida. Puede serte útil hacerlo incluso aunque ya no vivas con tu familia. Entender cómo eran las personas con las que creciste y el tipo de relaciones que establecían te puede ser de gran ayuda para resolver conflictos con tu pareja e hijos.

No puedes cambiar el pasado ni tampoco a tu familia, pero sí puedes cambiar tú y tu manera de experimentarte a ti misma.

No en todas las familias en las que hay dificultades se producen agresiones sexuales ni todas las personas que sufren agresiones sexuales han crecido en familias con muchos problemas. Pero si tu familia era caótica o no trataba bien a sus miembros, es posible que te sintieras más desprotegida y fuera más difícil pedir ayuda. Esto puede que te haya dejado el sentimiento de que ellos fueron responsables de la agresión por no haber cuidado de ti lo suficiente. A veces los padres tienen carencias con sus hijos porque ellos mismos tuvieron una infancia difícil y recibieron poco de sus padres. Uno no puede dar a sus hijos aquello que no tiene. A veces investigar un poco sobre la familia de origen de los padres y sus propias historias ayuda a entender algunas cosas. No se trata de justificar a los padres, sino de tomarlos como son. Con lo bueno y con lo malo que hayan hecho, los padres de cada uno son los mejores porque son los únicos que tenemos.

Si se trata de una familia en la que se produjo un incesto, las cosas son mucho más complejas. Se trata de agresiones producidas por padres, padrastros, hermanos, abuelos o tíos. Las más graves suelen ser las producidas por un padre o una madre, porque se supone que son las personas que te tienen que cuidar, y si abusan de ti se rompe la confianza y el sentido de las relaciones.

Si todavía vives con tu familia es importante que busques algún tipo de ayuda y que expliques a alguien de confianza lo que te sucede. Si no puedes confiar en nadie de la familia, busca fuera (maestros, pareja, amigos, etc.) o ponte en contacto con un centro que te pueda ofrecer asesoramiento profesional. Si vives independiente de tu familia de origen (padres y hermanos), puedes abordar el tema de los abusos con más calma. En ambos casos es importante que valores los riesgos: si aún se producen abusos sexuales o si ha desaparecido el riesgo pero hay abusos psicológicos o de otro tipo, es importante aprender a protegerse.

Es posible que para afrontar el tema de los abusos abiertamente con tu familia necesites el apoyo de alguien; si estás siguiendo una psicoterapia, tu terapeuta te puede ayudar a encontrar la manera más útil para ti.

Algo que te puede ayudar es poner en orden tus ideas:

¿Quién abusó de ti? ....
¿Qué relación tienes actualmente con el abusador? ....
¿Qué emociones despierta en ti? ....
¿Alguna vez habéis hablado de lo sucedido? ....
¿Sientes la necesidad de hablar con él o crees que es mejor no hablarlo directamente con esa persona? ....
¿Cómo crees que se siente el abusador respecto a los abusos? ....
¿Otras personas de la familia saben de los abusos? ....
¿Cuál fue su reacción al enterarse? ....
¿Quién crees que es el responsable de lo ocurrido? ....

Si tu experiencia permanece en silencio, piensa cuáles son las razones que te han llevado a guardar silencio. ¿Cuál crees que es la mejor opción para ti en estos momentos? ....

Es posible que tu emoción sea de rabia o de rechazo, pero es posible que sea muy ambivalente. Cuando quien ha abusado de ti es, al mismo tiempo, una persona muy significativa en tu vida, puedes sentir una mezcla de amor y de odio o algo parecido. Algunas veces (muy pocas) en los abusos hay violencia, pero no es así en la mayoría de los casos de incesto. Quizá tu agresor te hizo sentir muy especial, te cuidó, fue amable, quizás incluso disfrutaste con el abuso. Todo esto puede generar mucha culpa y mucha confusión.

Si el agresor es tu padre o tu madre, necesitarás resolver de alguna forma la relación, de manera que puedas quedarte con la parte positiva que te ofreció y separarla de la agresión. También en el caso de abusos entre hermanos los sentimientos pueden ser muy confusos y la duda entre si fue o no fue un abuso es más complicada todavía.

Muchas personas creen —y entre ellos se encuentran muchos profesionales— que si alguien ha abusado sexualmente de ti, incluso aunque sea alguien de tu familia, tienes que sentir mucha rabia, y si no es así es que estás haciendo algo mal.

En mi experiencia, en cambio, he encontrado que cuando el agresor es alguien de la familia, la superviviente no siempre siente rabia. A veces siente culpa y otras pena por el agresor. Sientas lo que sientas está bien. Es tan legítimo que sientas una cosa como la otra. Lo importante es que puedas resolver la situación de la forma que te haga sufrir menos a ti.

A veces la rabia se puede sentir contra otros miembros de la familia que no te protegieron en aquellos momentos, por ejemplo contra la madre o contra otros hermanos.

Piensa cuál es la mejor forma para ti de relacionarte con tu familia y qué podrías cambiar que te ayudara a sentirte mejor. Confía en ti y en tus necesidades.

Afrontar los efectos de la agresión

> Por mucho que se «mate» a una mujer, por mucho que se la hiera, su vida psíquica sigue adelante y aflora a la superficie de la tierra, donde vuelve a brotar con su emocionado canto.
>
> CLARISSA PINKOLA ESTÉS

Este apartado no pretende ser el sustituto de una psicoterapia, y si después de lo que has leído hasta aquí descubres que tu agresión ha sido más grave de lo que pensabas, sería bueno que buscaras ayuda profesional. Si tienes problemas con la comida, con el abuso de drogas u otro tipo de adicciones (juego, compras compulsivas, pequeños robos, etc.), si te haces daño a ti misma o alguna vez has pensado en suicidarte, si has tenido algún tipo de problema con tu salud mental o si has agredido sexualmente a otra persona, sería muy recomendable que buscaras ayuda psicoterapéutica. Y aun en el caso de que no te ocurra nada de esto también sería útil que lo hicieras si sientes que no puedes tú sola con todo, que no encuentras salida.

UTILIZANDO TUS PROPIOS RECURSOS

> En muchos casos lo que hace falta para enderezar una situación es que nos tomemos a nosotras y tomemos nuestras ideas y nuestras aptitudes más en serio de lo que hemos venido haciendo hasta el momento.
>
> CLARISSA PINKOLA ESTÉS

Para afrontar las consecuencias de una agresión sexual a veces es necesario recordar y conectar con emociones olvidadas, pero no es bueno recrearse en ellas. No por estar más tiempo en el dolor sale uno antes de él. Sólo hay que conectar con el dolor intenso el tiempo imprescindible; si permaneces mucho tiempo corres el riesgo de quedar atrapado en él.

Antes de poder dejar que tus emociones afloren libremente, es importante que conozcas cuáles son tus recursos y cuáles tienes disponibles en estos momentos:

- Personas con las que puedes contar.
- Estrategias que te han resultado útiles en otros momentos de tu vida.
- Información profesional sobre adónde dirigirte en caso de que lo necesites.
- Información legal si es que deseas denunciar la agresión o lo has hecho ya pero no sabes cómo manejar la situación.
- Libros u otros materiales que te aporten conocimientos sobre el tema o te ayuden a entender por lo que estás pasando.

Haz una lista de todos los recursos que posees. También puedes pensar en aquellas cosas que te iría bien saber hacer (por ejemplo, relajarte, controlar el miedo, decir no, etc.). Puede ser que anotes cosas que todavía no sabes hacer; sin embargo, darte cuenta de que las necesitas es un primer paso para aprenderlas.

No es lo mismo enfrentarse a un problema contando con recursos que desde la impotencia. Piensa que lo más duro de todo fue la agresión y, sin embargo, sobreviviste. Lo que queda por resolver seguro que no es peor.

Sentir seguridad

> ¿Cómo saben estos gansos cuándo es el momento de volar hacia el sol?, ¿quién les anuncia las estaciones?, ¿cómo sabemos los seres humanos cuándo es el momento de hacer otra cosa?, ¿cómo sabemos cuándo

> ponernos en marcha? Seguro que a nosotros nos ocurre igual que a las aves migratorias; hay una voz interior, si estamos dispuestos a escucharla, que nos dice con toda certeza cuándo adentrarnos en lo desconocido.
>
> ELISABETH KÜBLER-ROSS

Lo primero que se necesita para tener seguridad es romper el silencio, hablar con alguien de lo sucedido. No es un paso fácil de dar, pero es el secreto el que mantiene los abusos y el que agrava el malestar de las supervivientes. Buscar a alguien de confianza y explicarle lo que te ocurre es el primer paso para resolver todo lo demás. Si no conoces a nadie de tu entorno que pueda ayudarte puedes buscar asesoramiento en algún centro de atención a la víctima, en alguna asociación o a través de un psicoterapeuta.

Si las agresiones todavía se están produciendo, detenerlas es fundamental. Aunque la mayoría de los abusos en la infancia terminan en la pubertad o en la adolescencia, no siempre es así, y algunos duran mucho más tiempo. Quizá ya no hay abusos sexuales, pero sí emocionales.

Tal vez el agresor es tu pareja o alguien de tu entorno que te siguen amenazando de alguna manera. He conocido a mujeres violadas por vecinos, jefes o incluso amigos de la pareja que se dedicaban a amenazarlas o humillarlas mientras ellas se sentían totalmente aterrorizadas.

Es importante que puedas regular tu distancia física con los demás (que no te sientas invadida ni forzada en ningún ámbito de tu vida a hacer cosas que no deseas) y para ello es importante que establezcas límites claros en las relaciones. Algunas mujeres deciden aprender defensa personal, emprender acciones legales contra el agresor o iniciar una psicoterapia. Buscar seguridad también significa rodearte de personas que te valoran y te tratan con respeto.

Piensa qué riesgos existen en este momento de tu vida y qué personas te pueden ayudar a hacerles frente. Puedes hacer una lista.

Si no te sientes capaz de resolver esta dificultad sola, si no sabes si deseas denunciar la situación o ignoras de qué recursos legales dispones, si estás demasiado angustiada para decidir, sería bueno que buscaras ayuda profesional. Al final del libro tienes un listado de lugares a los que te puedes dirigir.

Si se trata de una agresión reciente

Si acabas de sufrir una violación lo normal es que te sientas confusa, aturdida o incluso en estado de shock. Es posible que hayas elegido mantener lo sucedido en silencio para no preocupar a tus seres queridos pensando que ya se olvidará todo. Lo que ocurre es que las cosas no desaparecen simplemente porque no las miremos. Aunque te resulte difícil, te sería de gran ayuda hablar con alguien de tu confianza (pareja, padres, hermanos, amigos o cualquier otra persona que te pueda apoyar en esos momentos).

Lo primero que tendrías que hacer es dirigirte a un hospital para que te hagan un reconocimiento médico. Independientemente de si deseas recurrir a la justicia o no, es muy importante que te visiten para comprobar que no has sufrido ningún contagio, que no hay desgarros ni heridas, que no te has quedado embarazada, etc. Si eres un hombre es posible que sientas mucho más pudor y vergüenza todavía, pero quizá tu bienestar y tu salud se merecen que hagas el esfuerzo.

Si decides denunciar la agresión puedes acudir al Servicio de Atención a la Mujer —comisarías de policía especializadas en violencia de género— o al GRUME —grupo de la policía de atención a menores—. Aun así, puedes denunciar en cualquier comisaría. Al final del libro te ofrecemos un listado de asociaciones y centros a los que te puedes dirigir para recibir asesoramiento tanto legal como psicológico.

Muchas personas vuelven a casa, se duchan porque se sienten sucias, se deshacen de la ropa que llevaban y tratan de pensar que no ha ocurrido nada. Hay quienes posteriormente deciden denunciar y encuentran que no tienen pruebas con las que defenderse.

De todas las maneras, una violación es una situación de gran estrés emocional y la mente racional es sólo una parte implicada en la forma de responder de una persona. Los mecanismos de defensa que se activan ante una situación que pone en riesgo nuestra vida o nuestra integridad son básicamente de carácter inconsciente. Si has sufrido una violación, lo hayas hecho como lo hayas hecho elegiste la mejor opción para ti en ese momento.

También se puede dar el caso contrario. Que siguieras todos los pasos que he mencionado al principio y luego hayas cambiado de idea, que denunciaras por presión del entorno y ahora no desees continuar con el procedimiento legal. Después de presentar una denuncia no es posible detener el proceso judicial.

Para muchas personas es muy positivo denunciar, sentirse reconocidas socialmente por el daño que han recibido, sentir que el culpable va a pagar por lo que ha hecho. También para la sociedad es bueno que se denuncien este tipo de situaciones, que tomemos conciencia de que no son casos aislados, sino un fenómeno frecuente y, por lo tanto, algo que nos afecta a todos como sociedad.

Para otras personas, en cambio, no es útil denunciar. En algunos casos porque las sentencias no son favorables, en otros porque la víctima se siente maltratada, humillada y agredida de nuevo por el sistema judicial, y en otros porque los años de espera impiden pasar página y continuar con las cosas cotidianas de la vida.

No es fácil decidir cuál es la mejor opción y es algo que nadie puede hacer por ti. Es importante que no te sientas presionada y que puedas elegir libremente aquello que consideres mejor. Durante la agresión tu vida estuvo en manos de tu agresor, ahora eres tú quien puede elegir. Escucha las opiniones de otras personas si crees que te pueden ayudar, pero es importante que seas tú quien tenga la última palabra.

Dejar salir la rabia

> Podemos dirigir nuestros esfuerzos a cambiar lo posible. Para convivir con lo que no podemos cambiar debemos ser valientes y creativos.
>
> Virginia Satir

La rabia es una emoción frecuente en supervivientes de agresiones sexuales y no siempre es fácil vivir con ella. Si te han hecho daño es lógico que sientas rabia. La rabia puede ser contra el agresor, contra la familia o las personas que sentiste que no te protegieron, contra el sistema judicial si has buscado ayuda y no te ha dado la respuesta que esperabas, contra el mundo en general y puede que hasta contra ti misma —esta última es la peor de todas.

Si diriges la rabia contra ti misma quizá la expreses en forma de atracones, autolesiones, abuso de drogas, etc., o de forma más sutil, como no darte permiso para disfrutar de nada, en forma de culpa o de enfermedades psicosomáticas.

También es posible que te sientas desbordada por la rabia y fuera de control, notando impulsos asesinos contra todo el mundo la mayor parte del tiempo, que te venga a la cabeza la idea de agredir a otras personas o que incluso les agredas verbalmente o de otras formas más veladas.

Sentir rabia es humano y muy normal, también es importante que la dejes salir en vez de guardártela, pero es bueno que la puedas canalizar de una forma constructiva. Si te quedas enganchada en la rabia, te estás quedando atrapada en el abuso y eso a quien más perjudica es a ti misma. Tu vida es demasiado valiosa como para dedicarla a sentir rabia por tu agresor. Exprésala, pero no la alimentes.

La mejor forma de canalizar esta emoción es a través de actividades que no te hagan daño ni a ti ni a las personas que te rodean.

Quizá sientas que si no reprimes tu cólera y la dejas salir será como una fuente inagotable que no se acabará nunca. Quizá te preocupe lo que podría suceder si la expresas (por ejemplo, hacer daño a otras personas). Nada es ilimitado ni siquiera tu rabia, pero si te asusta perder el control es mejor que lo trabajes con un psicoterapeuta.

¿Qué cosas te producen rabia? ....
¿Qué forma tienes de dejarla salir? ....
¿Contra quién la diriges más a menudo? ....
¿Qué podrías hacer para expresarla de forma segura? ....

Éstas son algunas formas sanas de manejar la rabia que quizá te pueden ayudar:

- Hacer deportes que te ayuden a descargar tensión (nadar, correr, etc.). Algunas supervivientes aprenden técnicas de defensa personal porque, además de liberar agresividad, eso les hace sentir más seguras.
- Actividades como romper periódicos o aprovechar para deshacerse de ropa vieja o trastos viejos y romperlos.
- Ejercicios como la relajación, la meditación o el yoga.
- Escribir y plasmar en el papel tus emociones, qué es lo que te provoca tanta ira, qué desearías hacer, etc. Anota todo lo que te venga a la cabeza, sin pensar, permitiendo que surjan tus emociones profundas.
- Si tienes ganas de golpear puedes hacerlo con un cojín grande (asegurándote de que no te harás daño).
- Irte a un espacio abierto lejos de la gente, a la playa o la montaña y gritar con todas tus fuerzas.
- Hablar con alguien de confianza.
- Salir a pasear y respirar aire fresco, con respiraciones profundas, dejando que el aire llegue hasta las plantas de tus pies.
- Puedes hacer una pintura de cómo te sientes. La pintura te puede permitir dejar salir muchas emociones, no sólo la rabia. También lo puedes hacer con un collage, con arcilla, barro o cualquier otro método artístico que te guste.

- Si estás haciendo una psicoterapia y entre sesiones te sientes muy desbordada por la rabia, puedes probar esto (hazlo en un momento en el que te sientas tranquila y segura): localiza el lugar de tu cuerpo en el que sientes la rabia y cómo es la sensación e imagina que la trasladas a algún lugar, por ejemplo a tu pie izquierdo, y la dejas allí hasta que sea el momento adecuado, por ejemplo hasta tu próxima sesión. Si lo practicas verás que no es tan difícil.[5]
- Elige una caja pequeña, por ejemplo una caja de zapatos o similar. La puedes forrar con algún papel especial o la puedes construir tú misma. Piensa en una de las cosas o personas que te dan rabia y medita sobre ella: piensa qué necesitas para poner distancia, qué puedes hacer para cambiar la forma en que esa cosa o persona te afecta. Cuando sientas que te puedes desprender de ella ponla en la caja (puedes hacerlo anotándolo en papeles de colores, con un objeto que la represente, una foto, etc.). Después elige otra de las cosas que te dan rabia y sigue el mismo procedimiento. Cuando creas que están todas (esta tarea puede llevar mucho tiempo) busca una manera de librarte de tu caja de la rabia (enterrarla, quemarla, tirarla, etc.). Busca una forma que te haga sentir bien y piensa en todo lo que simboliza desprenderte de esa carga.
- Denunciar la agresión y pedir justicia, ayudar a otras personas que han sufrido agresiones o participar en cualquier otro tipo de labor social en la que sientas que estás contribuyendo a que se reduzcan las agresiones sexuales o a que exista mayor conciencia social.
- Escribir una carta a tu agresor no con la idea de enviarla, sino con la idea de poder decir todas las cosas que te hacen daño por dentro. Luego puedes elegir qué haces con ella.

5. Es una técnica propuesta por Sidmonds (1994).

Mira cuáles de estas ideas son buenas para ti o inventa tus propias maneras de manejar la rabia. La cólera es más fácil de tolerar que el dolor, que se nos vuelve a veces insoportable, pero debajo de ella siempre hay otras emociones. Jorge Bucay, en su libro *Cuentos para pensar* (2002, págs. 131-134), explica el siguiente cuento, llamado «La tristeza y la furia», que transcribo aquí:

En un reino encantado donde los hombres nunca pueden llegar, o quizá donde los hombres transitan eternamente sin darse cuenta...

En un reino mágico donde las cosas no tangibles se vuelven concretas...

Había una vez...

un estanque maravilloso.

En una laguna de agua cristalina y pura donde nadaban peces de todos los colores existentes y donde todas las tonalidades del verde se reflejaban permanentemente...

Hasta aquel estanque mágico y transparente se acercaron la tristeza y la furia para bañarse en mutua compañía.

Las dos se quitaron sus vestidos y, desnudas, entraron en el estanque.

La furia, que tenía prisa (como siempre le ocurre a la furia), urgida —sin saber por qué—, se bañó rápidamente y, más rápidamente aún, salió del agua...

Pero la furia es ciega o, por lo menos, no distingue claramente la realidad. Así que, desnuda y apurada, se puso, al salir, el primer vestido que encontró...

Y sucedió que aquel vestido no era el suyo, sino el de la tristeza...

Y así, vestida de tristeza, la furia se fue.

Muy calmada, muy serena, dispuesta como siempre a quedarse en el lugar donde está, la tristeza terminó su baño y, sin ninguna prisa —o, mejor dicho, sin conciencia del paso del tiempo—, con pereza y lentamente, salió del estanque.

En la orilla se dio cuenta de que su ropa ya no estaba.

Como todos sabemos, si hay algo que a la tristeza no le gusta es quedar al desnudo. Así que se puso la única ropa que había junto al estanque: el vestido de la furia.

Cuentan que, desde entonces, muchas veces uno se encuentra con la furia, ciega, cruel, terrible y enfadada. Pero si nos damos tiempo para mirar bien, nos damos cuenta de que esta furia que vemos es sólo un disfraz, y que detrás del disfraz de la furia, en realidad, está escondida la tristeza.

Por otro lado, la rabia puede ser una emoción muy útil si la logras usar en tu favor, a veces es el motor que nos empuja a seguir adelante. Haz una lista de las cosas positivas que puedes hacer con tu rabia.

El papel de la rabia o la cólera queda muy bien resumido en la siguiente frase de Clarissa Pinkola Estés, de su libro *Mujeres que corren con los lobos* (1998, pág. 379):

> Podemos utilizar la luz de la cólera de una manera positiva para distinguir ciertas cosas que habitualmente no podemos ver. Un empleo negativo de la cólera se concentra de manera destructiva en un minúsculo lugar hasta que, como el ácido que provoca una úlcera, abre un negro agujero a través de las delicadas capas de la psique.

MANEJAR LOS *FLASHBACKS*[6]

Los *flashbacks* no se producen de manera voluntaria y no puedes evitar que ocurran, pero sí puedes utilizar estrategias para afrontarlos de forma menos dolorosa y para que irrumpan menos en tu vida. No se trata de fórmulas mágicas, y tendrás que ir probando hasta que encuentres la estrategia que te funciona a ti. Incluso es posible que tengas que usarlas varias veces antes de que den resultado.

6. Para este apartado ha sido de gran utilidad el libro de Simonds, *Bridging the silence*, además de los recursos que las personas con las que he trabajado han compartido conmigo y los que hemos ido creando juntas.

¿Has experimentado alguna forma de *flashback*? ....
¿De qué tipo? ....
¿Qué situaciones los provocan? ....
¿Qué cosas te ayudan a frenarlos? ....

A continuación tienes algunas sugerencias que quizá puedes probar:

- El primer paso es darte cuenta de cómo son los *flashbacks* (si son imágenes, olores, voces, etc.) y qué tipo de situaciones los desencadenan. A veces ayuda cambiar algún aspecto del *flashback*. Por ejemplo, si lo vives como si estuvieras dentro de la situación, ponte fuera y míralo como si vieras una película. Si son voces y las oyes dentro de ti, sácalas fuera como si escucharas una radio. Si te vienen imágenes en color, cámbialas a blanco y negro.

  Si son voces u otros sonidos, y también en el caso de los olores, haz como si tuvieras el mando a distancia del televisor y pudieras bajar el volumen.

  Este ejercicio puede que al principio te resulte difícil, pero a medida que vayas practicando verás que no lo es tanto y, además, es muy útil.
- Adoptar una postura corporal que te mantenga conectada con la realidad, con los pies bien apoyados en el suelo, las piernas sin cruzar y estiradas y la espalda recta, mirando al frente y con los ojos abiertos. Generalmente la postura que se adopta durante los *flashbacks* es la fetal, con las piernas encogidas y abrazándotelas. Es una postura defensiva pero favorece la aparición de *flashbacks*.
- Caminar y centrarte en el «aquí y ahora». Lo puedes hacer buscando el contacto visual con las cosas que te rodean (pero no fijes la vista en ningún punto puesto que eso produce el efecto contrario: te adentra más en tu experiencia interna y los *flashbacks* se vuelven más intensos y reales).

- Algún objeto que te dé seguridad y te recuerde que estás en el presente. A veces un anillo familiar, una bolita de olor de madera, algo que te haya regalado alguien en quien confíes mucho. Busca algo que te funcione a ti.
- Si los *flashbacks* son olfativos te puede ayudar usar otros olores intensos que te permitan conectar con el presente. A veces también ayuda comer caramelos de sabores y olores intensos.
- Otra forma de manejar los *flashbacks* olfativos es transformar los olores en otra cualidad sensorial (sonidos, colores, imágenes, etc.). También puedes tomar conciencia de las cualidades del olor (peso, temperatura, textura, etc.) e ir transformándolas. Por ejemplo, si sientes que es un olor pesado, puedes volverlo ligero; si es caliente, volverlo frío; si es rugoso, volverlo suave, etc.
- Tengan la modalidad sensorial que tengan tus *flashbacks*, te puede ayudar recordar la voz de alguna persona en quien confíes mucho como si te hablara tranquilizadoramente.
- También te puede ayudar llevar contigo algún tipo de recordatorio como una tarjeta o nota en la que hayas escrito que eso no está ocurriendo, que estás segura o cualquier otra afirmación que te ayude a tranquilizarte.

Afrontar el miedo

El miedo puede ser una emoción muy angustiosa, sobre todo cuando no tiene sentido u obstaculiza nuestra vida diaria. Quizá tengas miedos poco concretos —como a estar sola en casa, a la oscuridad— o tal vez sean miedos muy concretos —como miedo de volver al lugar de la agresión, de ver al agresor o a cualquier aspecto directamente relacionado con la agresión.

El miedo es una emoción útil porque nos pone en estado de alerta y nos prepara para defendernos del peligro. Por esta razón, el miedo es una emoción necesaria para vivir. Sin embargo, en algunas situaciones es tan intenso que no nos permite actuar con normalidad, limitándonos o paralizándonos. Eso es lo que les ocurre a muchas personas después de haber vivido una agresión. Por ello es bueno valorar qué miedos son adaptativos y cuáles no. Por ejemplo, tener miedo a dormir sola puede ser una secuela de haber experimentado abusos en la infancia; pero quizás ahora ya no vivas con el abusador y es muy improbable que se vuelva a producir una agresión. Ya no tienes que protegerte del abuso, y tu miedo no responde a un peligro actual.

En este caso puedes utilizar estrategias que te tranquilicen como:

- Dormir con la luz encendida.
- Encender la tele o la radio para sentirte más acompañada si estás sola en casa.
- Hablar con alguien que te tranquilice.
- Relajarte antes de ir a dormir (tomar un baño, tomar leche caliente), hacer una cena ligera y darte tiempo para digerirla antes de acostarte (una digestión pesada dificulta el sueño).
- Algunas personas se tranquilizan hablándose a sí mismas o cantándose.

Pero si los miedos que sientes responden a una amenaza real —como la posibilidad de que te agredan de nuevo—, es importante que los escuches y que hagas algo al respecto. Puedes buscar asesoramiento profesional, denunciar la situación a la policía, aprender defensa personal o cualquier otro recurso que tengas a tu alcance. A veces, en casos extremos, protegerse implica tomar decisiones como cambiar de domicilio o de trabajo.

Estas preguntas pueden ayudarte a reflexionar:

¿Qué tipo de cosas te asustan en este momento? ....

¿Son tus miedos respuestas a una amenaza actual u obedecen a cosas menos específicas, como el miedo a la oscuridad o a estar sola? ....

¿Qué cosas te tranquilizan cuando te ocurre? ....
¿Qué personas te dan seguridad y con cuáles de ellas puedes contar? ....

A veces el miedo se alimenta de una conducta de evitación: cuanto más evitas algo que te asusta, más miedo te da. En algunos casos enfrentarse a aquello que nos asusta puede ayudarnos a reducir el miedo (por ejemplo, si evitas ir a un lugar porque te asusta, cuanto más evites ir, más miedo te dará. Sin embargo, si un día vas a ese lugar es más fácil que vuelvas una segunda vez y, poco a poco, el miedo se vaya reduciendo). En otras ocasiones enfrentarse a una situación que nos asusta puede incrementar la sensación de miedo (por ejemplo, si te asusta hablar con el agresor y un día decides hacerle frente pero no te sientes preparada es posible que te vuelvas a sentir impotente e incapaz, aumentando más aún la sensación de miedo). A veces es mejor enfrentar el miedo en tu imaginación y, sólo cuando hayas dado ese paso, hacerlo en la realidad. Antes de enfrentarte a un miedo tienes que haber explorado cuáles son tus recursos para controlar la situación que te asusta (por ejemplo, si te asusta ir sola por la calle y aprendes defensa personal es posible que te sientas más capaz de enfrentarte al hecho de salir sola).

A veces crear un espacio seguro en tu interior es algo que te puede ayudar. Practica cuando estés tranquila. Si no se te ocurre cómo hacerlo te sugiero esta forma:

Cierra los ojos y haz unas cuantas inspiraciones profundas relajándote. También puedes ponerte una música tranquila si quieres. Imagina que tienes un círculo de color azul o violeta a tu alrededor, en el suelo. Hazlo del tamaño que necesites. Lo que queda dentro es un espacio seguro y protegido para ti. Ahora visualiza cómo sacas toda la tensión y el malestar de tu interior a través de tu respiración hasta que sientas que el aire que sale por tu nariz es azul como el cielo. Imagina que limpias el interior del círculo y dejas todo lo que sobra fuera. Cuando esté bien para ti ese espacio, imagina encima de ese círculo una campana de cristal que te cubra, también del tamaño que necesites. Ahora puedes contemplar el exterior desde dentro. Por ejemplo, puedes ver llover sintiendo cómo el agua resbala por la campana y cae fuera.

Si la imagen de la campana te resulta agobiante, puedes imaginar cualquier otra forma de protección: una valla, una ventana, etc. Lo importante es que tú te sientas bien dentro de ese espacio.

Puedes repetir este ejercicio cada día y cuando te sientas segura usarlo en aquellas situaciones en las que aparece el miedo.

Librarse de la culpa y la vergüenza

La culpa y la vergüenza son dos sentimientos que muchas veces se dan la mano y se solapan en la vida de los supervivientes de agresiones sexuales.

La vergüenza va muy ligada al secreto y al silencio, así que hablar de las agresiones suele ser el mejor método para librarse de la vergüenza, por ejemplo, participar en algún grupo de supervivientes, leer las experiencias de otras personas, hablar con tu pareja, amigos o alguien en quien confíes, etc.

También tiene que ver con la vergüenza el hecho de sentirte diferente, la idea de haber vivido algo que no les ha pasado a los demás. Aunque, como indican las estadísticas, las agresiones sexuales les ocurren a más personas de las que nos imaginamos. Es posible que conozcas a otros supervivientes sin saber que lo son, de la misma forma que los demás tampoco saben que tú lo eres.

La culpa es como una especie de rabia dirigida contra ti misma. Es posible que sientas una lucha interna: como si una parte de ti racionalmente supiera que no tuviste la culpa de nada y otra sintiera que la culpa existe, está ahí y no consigues que desaparezca.

Estas preguntas pueden guiarte en tu reflexión:

¿Qué es lo que te hace sentir más culpable? ....

....

¿Qué cosas podrías haber hecho realmente de forma distinta?.....
....
¿Qué parte de culpa tiene que ver con los mensajes del agresor o de otras personas?..
¿Cuáles tienen que ver con estereotipos y prejuicios sociales?. ....
....
¿Qué cosas te pueden ayudar a aliviar tus sentimientos de culpa?
....

Otras cosas que te pueden ayudar son:

- Ver fotos de la infancia y tratar de entender que un niño cuenta con pocas opciones. Quizá te resulte más fácil si te fijas en niños que tienen la edad a la que tú viviste los abusos.
- A veces ayuda conversar con el niño que todos llevamos dentro. Toma papel y un par de rotuladores de colores y elige un rotulador para cada mano. Si eres diestra, la mano derecha será tu parte adulta y si eres zurda será al revés. La mano con la que no sueles escribir será tu parte niña. De este modo puedes iniciar un diálogo entre la adulta y la niña y dejar que la niña se exprese. Si deseas más información sobre los diálogos con dos manos, Lucia Capacchione (1995), en su libro *El poder de tu otra mano*, plantea ejercicios que te pueden ser de gran utilidad.
- Pensar en las cosas que hiciste para luchar contra la agresión, tanto física como mentalmente. A veces también son formas de defenderse: mantener la cabeza ocupada, no resistirse para salir con vida de una violación, «sacrificarse» para proteger a otros hermanos, conservar el deseo de sobrevivir, etc.

Alice Sebold, superviviente de una violación, ha escrito un libro contando su experiencia y dice: «Él tenía mi vida en sus manos. Los que dicen que preferirían luchar a muerte antes que ser violados son unos necios. Yo prefiero que me violen mil veces. Haces lo que tienes que hacer».

Hay situaciones en la vida en las que la gama de opciones es muy limitada y escoges la menos mala porque ninguna es una buena opción.

- Éste es un ejercicio que quizá te pueda ser de alguna utilidad: cierra los ojos y haz unas cuantas inspiraciones profundas. Imagina cómo es la sensación cuando te sientes culpable, en qué parte de tu cuerpo la sientes. Fíjate en si tiene color, forma, textura, peso, temperatura, si tiene voz (y de tenerla cómo es: ¿grave?, ¿aguda?, ¿estridente?, si se parece a la de alguien que conoces). Fíjate si te vienen también imágenes asociadas a esa sensación. Si te resulta muy angustioso puedes imaginar que pones la sensación de culpa en una de tus manos y la observas desde ahí. Puedes ir cambiando aquellas características que te resulten más difíciles de tolerar, por ejemplo el tono de voz, o puedes imaginar que le quitas el volumen a la sensación. Si las imágenes son en color puedes probar a ponerlas en blanco y negro, a quitarles brillo, difuminarlas. Si tienes una imagen concreta en mente la puedes poner en un marco y hacerla más pequeña hasta que sientas que la sensación mejora. Puedes cambiar el peso de la sensación o su temperatura, su forma. Si es como una pesada bola caliente y roja, la puedes convertir en una blanca bola de nieve.

  Este mismo ejercicio lo puedes hacer desde el principio imaginando que tienes delante de ti una pantalla de televisión y un mando a distancia que tú controlas. Puedes verte a ti misma en la pantalla sintiendo la sensación de culpa y puedes llevar a cabo todas las modificaciones anteriores en la imagen de la pantalla.

Manejar la ansiedad

La ansiedad muchas veces va asociada a otras emociones o experiencias de las que ya hemos hablado: el miedo, los *flashbacks*, la inseguridad, etc. Para alguien que ha sufrido una agresión sexual el mundo deja de ser un lugar seguro, así que la sensación de estar alerta o de intranquilidad constante pero inespecífica puede acompañar todos tus actos.

Muchas de las cosas que te ayudan a afrontar el miedo te pueden servir también para la ansiedad. Es más fácil que te sientas tranquila si te sientes segura.

Piensa en...

¿Qué tipo de cosas te tranquilizan?..
....
¿Qué lugares o qué personas facilitan que puedas mantener la calma? ....
¿Qué actividades te permiten controlar tu ansiedad?...................
....

A algunas personas les ayuda mucho aprender a hacer algún tipo de relajación o actividades como yoga, taichi, etc., y, en cambio, a otras les ayuda hacer algún tipo de ejercicio físico intenso. Busca qué es lo que te ayuda a ti.

Desprenderse de la tristeza

> Paradójicamente, mientras su antigua vida se muere y ni siquiera los mejores remedios consiguen disimularlo, la mujer despierta ante su propia hemorragia y, gracias a ello, empieza a vivir.
>
> Clarissa Pinkola Estés

La tristeza es un sentimiento a menudo relacionado con la pérdida. Una agresión sexual representa muchas pérdidas; es posible que sientas que has perdido una parte de ti misma. Una agresión también supone perder la seguridad, la confianza en los demás, la virginidad, la inocencia, la familia, la idea de futuro tal y como se concebía hasta ese momento… y tantas y tantas cosas.

Por eso recuperarse de una agresión sexual implica siempre hacer un duelo, dolerse por aquello que se ha perdido. De la misma manera que uno se duele cuando se le muere un ser querido o cuando le amputan un miembro.

Darte permiso para que salga la tristeza, llorar cuando tengas ganas y hablar con otras personas de cómo te sientes pueden ser algunas de las cosas que te ayuden. Si la tristeza es tan intensa que no te permite seguir con tu vida, te paraliza o te bloquea, puede ser bueno que busques ayuda profesional.

La existencia humana está llena de ciclos de vida, muerte y vida. Para que algo nuevo surja, algo antiguo debe morir y nos debemos desprender de lo viejo para poder seguir adelante. Cuando has sobrevivido a una agresión muchas cosas no volverán a ser igual; eso no quiere decir que lo que venga después será peor, simplemente será diferente y ese cambio puede ser complejo de elaborar.

Casi todos los supervivientes que he conocido deseaban volver a su vida anterior, pero eso no es posible. La vida nunca va hacia atrás, siempre va hacia adelante. Y si te sitúas en el futuro mirando hacia el pasado difícilmente avanzarás.

Algunas personas almacenan el pasado en el lugar del futuro y por eso, cuando miran, sólo ven pasado. Pon en orden tu pasado y tu futuro de la forma que mejor te haga sentir a ti. Imagina alguna cosa de tu pasado, cualquier recuerdo, y observa dónde lo imaginas (delante, detrás, a tu derecha, a tu izquierda). Luego imagina algo del futuro, aunque todavía no haya sucedido, y fíjate también dónde ves la imagen. Ahora trata de poner el recuerdo del pasado detrás de ti, como si estuviera a tus espaldas y la imagen del futuro delante de ti. Mira a ver si de esta forma cambia algo. Si es mejor de esta forma, puedes situar otros recuerdos también a tus espaldas.

Otra cosa que ayuda es usar los tiempos verbales correctos. Usar el pasado para hablar del pasado y el presente para hablar de las cosas actuales (algunas personas hablan de cosas que pasaron hace muchos años como si hubieran sucedido ayer).

El sueño y el dormir

Si tienes dificultades para conciliar el sueño, puedes visitar a un médico para que te recete algún tipo de medicación que te ayude a dormir durante un tiempo (esto es útil sobre todo en las semanas previas a un juicio o si tienes que asistir a ruedas de reconocimiento, etc., porque te permitirá descansar más y tener mayor lucidez mental). El inconveniente es que se trata de sustancias que pueden crear dependencia, por lo que es útil tomarlas en un momento de crisis pero no como solución a largo plazo. Además, debido a que frenan los síntomas desagradables, se alarga mucho más el tiempo de resolución de los mismos.

Otras cosas que te pueden ayudar:

- Hacer cenas ligeras y dejar pasar un tiempo hasta que te acuestes (un par de horas). Las digestiones lentas y pesadas favorecen la aparición de pesadillas y dificultan el sueño.
- Tomar algún tipo de infusión tranquilizante antes de acostarte.
- Encontrar una forma de desconectar de tus experiencias del día, bien leyendo algo sencillo que no te haga pensar mucho (si logras mantener la concentración), realizando algún ejercicio de relajación o simplemente poniéndote una música tranquila. Puedes relajarte haciendo inspiraciones profundas (si conoces alguna técnica como el yoga puedes practicar la respiración; si no conoces ninguna técnica específica simplemente túmbate en la cama e inspira profundamente tratando de que el aire entre hasta el fondo, como si quisieras que llegara hasta tus pies). También es muy útil la autohipnosis, los masajes que te puedes hacer tú misma o cualquier otra técnica que te ayude a relajarte.

- Pídele a tu pareja, si la tienes, que te despierte cuando sienta que estás teniendo una pesadilla. Si te despiertas en medio de la noche puede ser bueno que te levantes y te prepares un vaso de leche templada o una infusión relajante, que hables con alguien de confianza (si no hay nadie en casa puedes localizarles por teléfono), que leas un rato o mires la tele. Cualquier cosa que te permita desconectar del sueño y tranquilizarte antes de volver a la cama.

No obstante, las pesadillas son uno de los síntomas del Trastorno por Estrés Postraumático y a veces no son fáciles de eliminar. Así que si persisten y son angustiosas es bueno que busques ayuda profesional. Existen técnicas que pueden ayudarte, como la hipnosis, la Programación Neurolingüística, etc.

A mí me parece que las pesadillas (aunque son muy desagradables) indican que nuestro subconsciente está realizando un trabajo. Si se acompaña de una ayuda externa, probablemente se facilitará la elaboración de la experiencia y, por lo tanto, será positivo. Si durante el día puedes hablar de cómo te sientes, de lo que te ocurre y darle un sentido a tu experiencia, también es posible que las pesadillas se reduzcan.

AUTOESTIMA

> Alguna vez pensé que tenía que eliminar las partes conflictivas de mí misma. Ahora sé que pueden ser fieles compañeras, si decido hacerlas mis amigas.
>
> VIRGINIA SATIR

La autoestima tiene que ver con sentir que eres alguien que vale la pena, no con ser perfecta o hacerlo todo bien. Todos cometemos errores y tenemos aspectos de nuestra personalidad y de nuestro físico con los que no estamos de acuerdo o con los que nos resulta difícil convivir. Así entendida, la autoestima se refiere a que puedas sentir que mereces una buena vida y el amor y la aceptación de los demás tal como eres, con las cosas de ti que te gustan y con las que no te gustan.

Tener autoestima también significa darte permiso para decir «no» cuando sientes que algo es perjudicial para ti, tratarte con respeto, rodearte de personas que te cuiden y te respeten y protegerte de aquellas situaciones que te hacen daño.

Sería interesante que pensaras cómo te sientes actualmente respecto a ti misma:

¿Qué aspectos de tu carácter te gustan?

- ....
- ....
- ....
- ....

¿Qué aspectos de tu carácter querrías mejorar?

- ....
- ....
- ....
- ....

¿Cómo te sientes en general respecto a ti misma?

- ....
- ....
- ....
- ....

¿Son tus respuestas más bien positivas o negativas? ¿Eras consciente de que te sentías de esta forma? Normalmente no estamos acostumbrados a pensar en nosotros mismos y en nuestros sentimientos. A veces valoramos más o damos más crédito a los comentarios negativos que a los positivos.

Pensar en cómo te sientes te puede ayudar a decidir qué aspectos de ti misma quieres cambiar y cuáles están bien así.

Haz una lista de las cosas que no te gustan de ti:

- ....
- ....
- ....
- ....

Ahora haz otra lista con algo positivo de cada una de esas cosas que no te gustan de ti:

- ....
- ....
- ....
- ....

Por ejemplo:

No me gusta: ser tímida.
Función positiva: no confiar demasiado pronto en personas que no conozco.
No me gusta: ser miedosa.
Función positiva: evito riesgos innecesarios.

Ahora haz una lista de cosas que te gustan de ti (también puedes incluir cosas que otras personas te han dicho que les gustan o te han valorado, incluso aunque tú no te las creas):

•......................•......................•......................•......................
•......................•......................•......................•......................
•......................•......................•......................•......................
•......................•......................•......................•......................
•......................•......................•......................•......................

Es una lista larga para que puedas añadir cosas a medida que se te vayan ocurriendo. La puedes tener en un lugar visible de modo que la puedas volver a leer todos los días o cuando lo necesites.

También te puede ayudar escribirte cosas positivas de ti misma y llevarlas contigo o tenerlas a mano para leerlas cuando las necesites.

La relación con el cuerpo

> Tu cuerpo es el templo donde vives. Busca que sea parte de ti mismo.
>
> Virginia Satir

Para los supervivientes de agresiones sexuales la relación con el propio cuerpo no siempre es un tema fácil. El cuerpo es la parte de ti en la que ocurrió la agresión. Muchos supervivientes odian su cuerpo porque sienten que les traicionó. A veces estar conectado con el cuerpo significa sentir, y eso es peligroso porque significa poder revivir la agresión. Por esta razón, no es extraño que un porcentaje muy elevado de supervivientes de agresiones sexuales vivan completamente desconectadas de su cuerpo. La desconexión o disociación no significa que no tengas sensaciones corporales, emociones y sentimientos, significa que muchas veces están fuera de la conciencia, están ahí pero tú no te das cuenta.

Esa desconexión tiene una función defensiva muy importante en el momento en el que se producen las agresiones pero, a largo plazo, puede generar problemas en muchas áreas de tu vida.

Parte del proceso de elaboración de la agresión supone reconectar de nuevo el cuerpo y la mente. El objetivo es traerlas de nuevo a la conciencia. Alejarlas significa no sentir las cosas que causan dolor, pero también no sentir las cosas buenas.

Si te cuesta perdonar a tu cuerpo y lo tratas de forma agresiva o descuidada, piensa que éi no tuvo la culpa de nada. El cuerpo se limita a responder a los estímulos y a defenderse del sufrimiento lo mejor que sabe. Tu cuerpo no es responsable del daño o del placer que le hayan generado otros en una agresión sexual. Responde de la misma forma a los estímulos independientemente de quién sea la persona que lo estimula. Él no distingue si un acto es deseado o no, no tiene escala de valores ni moral, esa parte le corresponde a nuestra mente. No todas las respuestas de nuestro cuerpo pueden ser controladas voluntariamente por nuestra mente ni en todas las circunstancias. Por ejemplo, todos los adultos sanos podemos controlar nuestros esfínteres, pero en situaciones de terror extremo las personas a veces perdemos esa capacidad, nuestra mente está ocupada en pensar cómo sobrevivir.

Otro aspecto importante de la relación con el cuerpo es que una parte de los síntomas postraumáticos son de carácter fisiológico. Nuestro organismo está preparado para responder a la amenaza: entramos en estado de alerta, las pupilas se dilatan, los músculos se tensan, la respiración se acelera, el corazón bombea sangre con más intensidad, etc. Si has sufrido una agresión sexual es posible que hayas experimentado todas esas sensaciones, pero tu cuerpo ha respondido paralizándose, porque ésa era la única alternativa de supervivencia que tenía. No es que tú lo decidieras de una manera consciente, sino que reaccionaste de esa forma. Y lo que sucede es que toda esa adrenalina y energía que tu organismo desarrolló para preparar la defensa no se pudo descargar. La intensidad de la reacción es tan grande que muchas personas la reprimen por miedo a sus propias sensaciones y emociones y las van acumulando durante largos períodos de tiempo. Ésta es la razón del estado permanente de alerta, miedo, intranquilidad y angustia. En ocasiones es esta misma reacción fisiológica la que provoca imágenes y recuerdos angustiosos.

Cuando se pueden resolver estas sensaciones desde el cuerpo también puede cambiar la vivencia de la experiencia. Peter Levine, en su libro *Curar el trauma*, explica muy detalladamente el proceso de resolución de las experiencias traumáticas a partir del cuerpo y las percepciones corporales.

¿Cómo te sientes dentro de tu cuerpo?..
¿Qué cosas haces para cuidarlo? ....
¿Cómo lo respetas? ....
¿Lo maltratas de alguna forma?..
¿Qué partes de tu cuerpo eres capaz de cuidar? ....
¿Con cuáles tienes dificultades?..
¿Qué tendría que pasar para que pudieras cuidar de esas partes que te resultan difíciles?..

Algunas mujeres después de una agresión sexual tratan de «afearse» o de descuidar su aspecto pensando que de esa manera estarán más seguras; es como si una parte de ellas creyera que han «provocado» de alguna forma la agresión (por su forma de vestir, por su aspecto físico, etc.). ¿Te ha ocurrido a ti algo así? Ten en cuenta que lo que hace que una persona sufra una agresión es la facilidad del agresor para perpetrarla (no tiene que ver contigo ni con tus actitudes).

Si has sufrido una agresión sexual siendo adulta:

¿Cómo ha sido tu relación con el cuerpo antes de la agresión?....
....
¿Cómo es ahora?...
¿Qué ha cambiado para ti? ....
¿De qué forma ha influido la agresión en la relación que tienes contigo misma y con tu cuerpo?..
¿Cómo han influido los mensajes del agresor, de tus padres, de tu entorno y de los medios de comunicación en la relación que tienes con tu cuerpo? ....

Algunas ideas para poner en práctica:

- Un primer paso para conectar con tu cuerpo es tomar conciencia de tu respiración. Hacer inspiraciones profundas y seguir el curso del aire, desde que entra en tu nariz hasta que vuelve a salir. Tomar conciencia de cómo llega a tus pulmones y sigue hacia abajo, en la zona diafragmática (a la altura de tu estómago y más abajo hasta tu vientre).

- Otra forma de conectar con tu cuerpo es a través de los sentidos: la vista, el gusto, el olfato, el tacto y el oído. Puedes empezar experimentando todo lo que puedes captar con tus ojos (lugares, personas, colores, relieves, la luz y sus diferentes intensidades). Luego puedes seguir con el oído (voces, tonalidades, músicas, sonidos de la naturaleza, etc., y también la dirección de la que provienen, la intensidad, etc.). Puedes hacer lo mismo con cada uno de los sentidos. Posiblemente uno de los que más te cueste experimentar sea el tacto, pero puedes ir poco a poco empezando por lo que te resulte más fácil y neutro (como, por ejemplo, tocar las paredes de tu casa o tu ropa, o la arena en la playa). También acariciar algún animal (perro, gato, etc.); el contacto con los animales suele ser menos amenazador que con otras personas. Cuando te sientas cómoda puedes probar tocando tu propio cuerpo.
- También te puede ayudar cuidar de tu cuerpo. Por ejemplo, ponerte un producto suavizante para el cabello o ponerte crema después de la ducha. Si te resulta difícil puedes empezar por aquellas partes de tu cuerpo que te resulten más fáciles, por ejemplo en las manos, en la cara e ir ampliando poco a poco a los brazos, los pies, etc., hasta que te sientas capaz de ponerte en todo el cuerpo.
- Puedes explorar haciéndote masajes en las piernas, en los pies o en la cara e ir descubriendo tu cuerpo no como un extraño en el que vives, sino como una parte de ti.

Algo que también experimentamos en el cuerpo son las emociones. A veces podríamos conectar con nuestras emociones, pero no lo hacemos por miedo a perder el control, pensando que si las expresamos y exteriorizamos se adueñarán de nosotros y nos desbordarán.

¿Tienes dificultades para expresar tus emociones?........................
¿Cómo serían las cosas si las pudieras expresar?.........................
¿Qué cambiaría para ti?..
¿En qué situaciones te resulta más fácil expresar lo que sientes?..
....
Quizá puedes hacer un dibujo que muestre cómo es para ti expresar lo que sientes.

A veces ocurre que cuando no podemos expresar lo que sentimos es nuestro cuerpo quien se queja, en ocasiones en forma de somatizaciones, es decir, enfermando. Por eso es tan importante que encuentres una forma de exteriorizar tus emociones. Puede ser a través de la palabra o a través de alguna forma de arte: la música, la pintura, la escultura, el baile, etc. Es bueno que encuentres la manera más adecuada para ti.

Sexualidad

> Nuestro sexo, nuestros genitales son partes de nuestro cuerpo. Si no lo aceptamos, lo comprendemos y valoramos abiertamente estamos construyendo el camino hacia un intenso drama personal.
>
> Virginia Satir

La sexualidad es un aspecto fundamental en la vida de las personas que va mucho más allá de las relaciones sexuales y de la procreación y se inicia en el nacimiento. Somos seres sexuales y sexuados. Somos seres corpóreos y la sexualidad tiene que ver con sentir ese cuerpo. Un cuerpo que siente la gratificación y el placer del mismo modo que en ocasiones siente el dolor.

Si has sufrido alguna forma de agresión sexual es posible que tu visión de la sexualidad sea negativa: puede que la asocies al sufrimiento, al asco, al miedo, a una forma de manipulación, etc. También se han fomentado discursos políticos y sociales en torno a la sexualidad como una lucha de poder o una forma de dominación masculina, etc.

Me parece importante remarcar que una cosa es la sexualidad y otra la utilización que algunas personas hacen de ella. Nuestra sexualidad tiene que ver con vivir en un cuerpo, con la forma que tenemos de relacionarnos con él y, a través de él, con otras personas. Desde niños establecemos una relación con nuestro cuerpo, lo descubrimos a través del tacto, del olfato, de la vista, de la misma manera que descubrimos el cuerpo de nuestra madre. Para un bebé lo que más seguridad produce es oler a su madre y sentir la tibieza de su cuerpo cerca de él. Después de descubrir nuestro cuerpo descubrimos el de otras personas, nuestras parejas sexuales. Por ello, no es de extrañar que si la relación con el propio cuerpo no es buena, las relaciones sexuales se vuelvan más difíciles.

Si existe un aspecto complejo en la vida de la mayoría de supervivientes de agresiones sexuales, ése es la sexualidad. Muchas supervivientes empiezan odiando su propio cuerpo y acaban negando cualquier forma de relación sexual o sintiéndose sucias e incómodas cuando la tienen. Otras personas pueden disfrutar masturbándose pero no soportan que les toque nadie. Hay quienes sólo pueden sentirse cómodas si su pareja no sabe de la agresión. Otras tienen relaciones promiscuas pero no sienten placer. Algunas sufren incómodos *flashbacks* durante las relaciones sexuales o experiencias disociativas que les impiden disfrutar de la relación. Hay quienes se entregan a relaciones sexuales insatisfactorias buscando afecto. Hay casos en los que la persona busca repetir la agresión como la única forma de sentir placer. Hay supervivientes que fantasean con agredir a otra persona, etc.

Es importante que pienses cómo es tu experiencia:

¿Cómo son tus relaciones sexuales? ....
¿Has vivido alguna vez el sexo como si lo observaras desde fuera?
....

¿Has tenido algún *flashback* durante una relación sexual? ....
....
¿Hay algún tipo de comportamiento sexual que te incomode especialmente? ....
¿De qué forma la agresión ha modificado tu vida sexual? ....
....
¿Tienes pareja estable? ....
¿Sabe tu pareja de la agresión? ....
¿Cuál ha sido su reacción? ....
Si no lo sabe, ¿qué crees que sucedería si lo supiera? ....
¿Es gratificante tu sexualidad? ....
Si no lo es siempre, ¿lo es en algunas ocasiones? ....
¿Qué cambia en esas ocasiones en que es gratificante o más gratificante? ....
¿Qué querrías mejorar de tus relaciones sexuales? ....

Puede haber diferencias significativas si las agresiones se han producido en la infancia o en la vida adulta. En el primer caso, si la primera experiencia sexual fue la agresión no existen experiencias previas con las que comparar. Esto puede implicar un arduo trabajo para separar la agresión de una experiencia sexual deseada y satisfactoria (en este caso puede ser muy útil buscar información sobre sexualidad sana bien a través de centros de planificación familiar o de libros especialiados en el tema; algunos de ellos están incluidos en la bibliografía, al final del libro). Incluso así hay personas que, a pesar de no haber tenido experiencias sexuales previas a la agresión, pueden vivir su sexualidad de una forma gratificante y positiva.

Si has sufrido una violación siendo adulta, es posible que el impacto de la agresión sea diferente. Tienes experiencias sexuales anteriores con las que comparar. Si tu vida sexual previa era satisfactoria puedes afrontar este hecho con más recursos. Si no lo era, quizás ahora haya empeorado, y podría ayudarte buscar algún tipo de asesoramiento profesional.

Aunque la sexualidad es un área muy personal y variada de la experiencia humana y no es fácil hablar de forma general o dar ideas que sirvan a muchas personas, aquí tienes algunas sugerencias que quizá te resulten útiles:

- Es importante que te sientas cómoda en tu propio cuerpo. Una forma segura de experimentar la sexualidad es masturbándote. Si no lo has hecho nunca éste puede ser un buen momento para empezar siempre y cuando no te genere conflictos. Algunas personas, por sus ideas o su formación, prefieren prescindir de este tipo de prácticas (si es tu caso, puedes buscar otras opciones).
- Date tiempo para ir a tu propio ritmo y para elegir cómo y cuándo deseas mantener relaciones sexuales. Es importante sentir que tienes el control de la experiencia.
- Di que no a aquellas relaciones que no desees mantener.
- Sé consciente de tus propias necesidades y no sólo de las de tu pareja.
- Si en algún momento no te sientes cómoda con la idea de mantener relaciones sexuales es bueno que no te fuerces. Incluso quizás haya épocas de tu vida en las que prefieras no tenerlas (si estás sola es sencillo, pero si tienes pareja estable tendréis que negociar una opción que os permita respetar las necesidades de ambos).
- Piensa si hay algún tipo de comportamiento sexual con el que no estás cómoda y háblalo con tu pareja. Es importante no sentirse forzada a algo que no se desea realizar (una relación sexual satisfactoria implica estar cómodo y relajado).
- Si te disocias (estás lejos, distante o como si lo vieras todo desde fuera) tu tarea consiste en reconectarte. Empieza tomando conciencia de tu respiración, mira a tu pareja a los ojos, háblale. De esta forma es más fácil centrarte en el «aquí y ahora». También puedes pedirle a tu pareja que te ayude hablándote. Puedes experimentar con cualquier estrategia que impida que tu mente vuele sola.

- Encontrar el límite entre el afecto y el sexo. El sexo y el afecto muchas veces van unidos, pero se trata de cosas diferentes. Está bien que busques afecto, está bien que busques sexo. Pero no confundas las dos cosas. Si buscas satisfacer necesidades afectivas a través del sexo, la experiencia puede ser decepcionante.
- Si tienes dificultades para tener orgasmos habla con tu pareja, de manera que podáis introducir más juego amoroso, tener relaciones sin coito, etc. Podéis pactar utilizar el sexo como una forma de estar juntos sin buscar el orgasmo, así se reduce la presión que se crea cuando éste se considera el objetivo de la relación.
- Si tienes una pareja estable y la relación es positiva y de confianza, la terapia más útil será poder hablar sin pudor de tus miedos o de tus dificultades. Si, a pesar de todo, las cosas no mejoran o el conocimiento de la agresión ha supuesto una brecha en la relación sería bueno que buscaseis ayuda profesional.
- Si no tienes pareja estable no por ello has de renunciar a tener una vida sexual satisfactoria si así lo decides. Si te encuentras con dificultades, hay cuestiones que quizá te sean más difíciles de resolver.
- Poner música que te relaje, tomar un baño tranquilo, conversar con tu pareja sobre algo agradable o prepararte de cualquier otra forma que te ayude antes de tener una relación sexual puede ser algo positivo.
- Puedes utilizar anclajes. Un anclaje o ancla consiste en asociar un estado con un estímulo determinado. En este caso puede ser un estado de excitación o de tranquilidad, y el estímulo puede ser unir tus dedos pulgar e índice, tocar tu muñeca derecha, etc. Es preferible que se trate de un gesto que no sueles hacer habitualmente. El objetivo es que cada vez que haces el gesto puedas volver a conectar con el estado deseado.

  Lo puedes hacer de la siguiente manera: cierra los ojos y elige una experiencia sexual que haya sido positiva y placentera para ti (puede ser con otra persona o contigo misma, lo importante es que haya sido agradable y que sea real, no sirve imaginar algo que no se ha vivido). Evoca las sensaciones con el máximo de intensidad a medida que recuerdas detalladamente esa situación. En ese momento establece un ancla, por ejemplo, une los dedos índice y pulgar de una de tus manos. En lo sucesivo, ese gesto, unir tus dedos índice y pulgar, será el recordatorio que volverá a desencadenar la sensación positiva cuando la necesites. Si te es posible repite el ejercicio con otras dos experiencias sexuales positivas (para que el anclaje sea más potente).

Al principio es bueno que practiques con tu anclaje todos los días unos minutos para volverlo más efectivo y, por supuesto, cuando vayas a tener una relación sexual o mientras la estás teniendo, si sientes que te hace falta.

Como decía antes, sólo se pueden anclar experiencias que uno ha vivido, así que para utilizar esta técnica has de disponer del recuerdo de alguna experiencia sexual positiva y placentera.

Relaciones personales y confianza

> La comunicación es a una relación lo que la respiración es a la vida.
>
> Virginia Satir

La confianza es necesaria para la supervivencia. La base de nuestra personalidad se construye a partir de la seguridad en las relaciones, de la sensación de estar conectados con nuestros padres o con las personas que se hagan cargo de nosotros. Cuando esa conexión se rompe la persona pierde algo fundamental de sí misma. Éste es uno de los efectos más devastadores de vivir una experiencia traumática: surge un sentimiento de aislamiento y desconexión de las personas significativas y también de la comunidad o entorno más amplio. Toda experiencia traumática supone un cuestionamiento de las creencias más básicas sobre el mundo, la seguridad y la justicia. Dice Herman (2004) que «el trauma fuerza al superviviente a revivir todos sus cuestionamientos previos sobre la autonomía, iniciativa, competencia, identidad e intimidad».

Esto es así por la naturaleza misma del trauma, pero a veces se convierte en doblemente doloroso cuando como superviviente te encuentras sola y aislada porque los demás no desean oír, no quieren saber; de esta manera, no puedes poner palabras a tu dolor; hacerlo es difícil pero necesario para poderte librar de él. A veces la familia y los amigos no saben cómo responder: no soportan tu dolor y quizá tú sólo deseas ser escuchado.

El apoyo social reduce el efecto negativo que la agresión pueda tener en ti. Si algo necesitas es seguridad y protección. También se puede dar el fenómeno contrario, el de la sobreprotección, en el que sientes que no puedes mantener tu autonomía, un aspecto fundamental para afrontar la agresión de una manera saludable.

Para los supervivientes de una agresión sexual, en especial para quienes sufrieron abusos en la infancia, la confianza no es una tarea sencilla. ¿Cómo volver a confiar cuando aquellas personas en quienes confiaste te traicionaron?, ¿cómo arriesgarse a establecer una relación de intimidad?, ¿cómo saber que no te volverán a fallar?

La intimidad supone dar y recibir amor, confiar en otra persona, compartir. El grado de intimidad y confianza que se tiene varía de unas personas a otras. Podríamos imaginar las relaciones como una gran cantidad de círculos concéntricos. En los más externos están los conocidos lejanos, personas a quienes conocemos de una manera superficial, y el grado de intimidad es mínimo. En el núcleo están aquellas personas con quienes compartimos una intimidad mayor, aquellos delante de quienes podemos desnudar nuestra alma.

Está claro que en los círculos de fuera hay muchas personas, y al de dentro llegan muy pocas a lo largo de nuestra vida. Normalmente las personas van pasando de los círculos más externos a los más internos de forma gradual a medida que van ganando nuestra confianza.

Una agresión supone una ruptura de ese esquema. Si el agresor era alguien próximo, abusó de ese lugar privilegiado en el que le habías situado en tu círculo de relaciones. Si el agresor era un extraño, es como si alguien del círculo más externo hubiera tratado de colarse hacia el más interno de golpe, saltando todos los pasos intermedios.

Por eso no es de extrañar que muchas personas, tras una agresión, se vuelvan desconfiadas y teman las relaciones de intimidad. Pero vivir sin relaciones es también muy perjudicial para nuestro bienestar emocional. Está bien encontrar un punto medio en el que te sientas segura y, al mismo tiempo, puedas asumir riesgos.

También existe el fenómeno contrario. Aquellas personas que no han aprendido a poner límites en las relaciones y rápidamente todo el mundo entra en el núcleo de su círculo y se acomoda, dañándolas una y otra vez.

Revisa cómo son tus relaciones (y razona tus respuestas):

¿Te sientes agredida, maltratada o denigrada? ....
¿Con quién te sientes así y de qué forma? ....
¿Qué podrías hacer para cambiar esa situación? ....
¿Con quién te sientes segura? ....
¿Con quién te sientes cuidada?, ¿en qué aspectos? ....
¿De qué forma te sientes respetada? ....

A veces ocurre que, después de ser agredido por otra persona, puedes ser tú mismo quien continúes haciéndolo, convirtiéndote en tu peor enemigo. Y si tú te pierdes el respeto tampoco los demás te respetarán.

He aquí algunas cosas que puedes hacer:

- Haz una lista de todas las personas con las que te relacionas y piensa en quiénes confías y en quiénes no y cuáles son las razones (a veces nuestra intuición es muy sabia, pero nuestra mente más racional no la deja actuar). Sobre todo toma conciencia de si alguna de las relaciones que tienes es una relación de maltrato. El primer paso es librarse de ese maltrato —algunas veces implica romper con relaciones destructivas.

- Tener sentido de los límites. Esto significa que tengas sentido de tus propios límites y de los de los demás y, por lo tanto, ni sobrepases los límites de los otros ni permitas que otros sobrepasen los tuyos. Esto implica tu espacio físico, tu intimidad, tu cuerpo, tus ideas, etc., y, por lo tanto, implica también respetar esas áreas en la vida de los demás.
- Asumir riesgos. Si te asustan las relaciones con otras personas es posible que las evites. Esta manera de funcionar no elimina los riesgos al cien por cien y, además, hace que nos marchitemos por dentro. Es como si para protegerte te encerraras en un muro sin ventanas. Nadie puede entrar y dañarte, pero tampoco entra el sol, ni la luz, ni la lluvia, es decir, la vida. Y de esta forma una parte de nosotros se muere.

  Los riesgos se pueden asumir gradualmente, dándote tu tiempo y eligiendo a las personas que te ofrezcan más seguridad. Cuando conozcas a alguien nuevo, date tu tiempo para decidir si te inspira confianza.
- Si tu dificultad es la contraria, que confías enseguida en la gente y te pones en situaciones de riesgo, quizá te ayudaría pensar en cómo protegerte y elegir en quién puedes confiar y en quién no. Algunos supervivientes disponen de unas alarmas que se disparan al menor signo de peligro, pero otros, a fuerza de haberse visto expuestos a agresiones sobre las que no tenían ningún control, tienen unas defensas que no se activan nunca. Vuelve a escuchar tu alarma interior, todos tenemos una.
- No confundir el presente y el pasado. A veces cuando alguien nos falla establecemos una especie de generalización y pasamos a desconfiar de todo el mundo y, en ocasiones, también a vivir permanentemente en el pasado.

Uno de los momentos más temidos si has decidido denunciar la agresión es el día del juicio. En primer lugar porque es posible que se trate de una experiencia nueva y desconocida para ti y eso genera ansiedad. La mayoría de supervivientes ni siquiera han estado en la sala de un juzgado, no saben dónde se tienen que situar, dónde estará el acusado ni si estará o no, quién les preguntará, etc. En fin, que desconocemos la mecánica judicial. Esta dificultad la puedes resolver asistiendo previamente a algún juicio público para que puedas ver cómo es el procedimiento. Si existe un Servicio de Atención a la Víctima en tu ciudad, ellos te pueden acompañar y facilitar la información que necesites.

Por otro lado, asistir a un juicio por una agresión sexual significa revivir experiencias durísimas y, por lo tanto, volver a experimentar el miedo, el asco, la indignación, la rabia y todo ello con la duda de no saber si las personas que tienes delante te creerán o creerán la versión del acusado. Porque a falta de testigos, como suele ocurrir en este tipo de delitos, se trata de la palabra de uno contra la del otro.

A veces hay pruebas decisivas, pero en muchos casos no es así. Por lo tanto, a la propia angustia de recordar hay que unir las preguntas insidiosas y a veces malintencionadas de abogados con pocos escrúpulos. Incluso en el mejor de los casos, si tienes la suerte de tropezar con personas suficientemente sensibilizadas hacia este tipo de delitos, tienes que explicar los detalles de algo que llevas tiempo luchando por olvidar. De pronto lo más íntimo de tu persona deja de ser privado y se convierte en público.

A pesar de las dificultades que encierra, muchas veces el resultado merece el esfuerzo. Si el juicio se resuelve a tu favor significa que el responsable de la agresión tendrá que responder por lo que hizo, pero, sobre todo, significa que la sociedad reconoce públicamente el daño que sufriste.

Algunas estrategias que te pueden ayudar son: buscar asesoramiento legal bien a través de alguna entidad que te pueda asesorar gratuitamente o bien a través del Servicio de Atención a la Víctima (para más información véanse los anexos de este libro). Tener más información te ayudará a elegir mejor y a sentirte más segura. Si eres hombre quizá lo tengas más difícil a nivel legal, pero no tiene que ser un obstáculo para que logres la ayuda que necesitas. Ser superviviente puede comportar, a ciertos niveles, un estigma mayor para un hombre que para una mujer.

Si el agresor es alguien de la familia la dificultad es mayor a todos los niveles, por la confusión emocional que puede provocar, por la cantidad de cosas que se mezclan y por la crudeza que se puede experimentar cuando se siente que toda tu intimidad familiar y personal queda expuesta ante un grupo de desconocidos. Los juicios en caso de incesto son mucho más complejos que en aquellos en los que el agresor es un extraño, tanto para la víctima como seguramente para el juez, el fiscal y los abogados.

Si la agresión ocurrió hace años, recuerda que los delitos prescriben e, incluso en el caso de que no hayan prescrito todavía, el tiempo juega en tu contra. Cuantos más años haga que ocurrió la agresión, más difícil será conseguir una sentencia favorable, pero no es imposible. De hecho, hay supervivientes que lo han conseguido. Es importante sopesar el costo que te va a suponer y lo que puedes conseguir a cambio.

Pasar por un juicio suele ser complicado, pero hay algunas cosas que pueden facilitar la experiencia:

- Haber puesto en orden tus ideas y tus emociones respecto a la agresión (si es necesario puedes buscar ayuda psicológica).
- A muchos supervivientes les preocupa hasta llegar casi a la obsesión olvidar detalles importantes del suceso (y no es de extrañar, cuando a veces el juicio se produce años después de la denuncia y, por lo tanto, de la agresión). Resulta útil que en un momento de tranquilidad cojas un cuaderno y trates de organizar cronológicamente todos tus recuerdos de la agresión. Tenerlos por escrito puede ayudarte a no tener que estar re-

cordando constantemente por miedo a olvidar detalles importantes.

- «¿Qué pasa si en la ratificación de la denuncia te preguntan detalles que no recuerdas?» No pasa nada. Uno de los efectos de las experiencias traumáticas es que los detalles se recuerdan de forma fragmentada, por eso es posible que recuerdes algunas cosas con una nitidez escalofriante mientras que otras permanezcan en el pozo del olvido permanentemente.

  A veces los jueces desconocen que nuestra memoria funciona así, de la misma manera que desconocen otro tipo de experiencias. Ellos son expertos en leyes, por eso suelen requerir la presencia de peritos expertos en psiquiatría o psicología, médicos forenses o los profesionales que estimen oportunos, para que expliquen este tipo de fenómenos.

  Tu mejor respuesta es la sinceridad. Explica todo lo que recuerdes, y lo que hayas olvidado o desconozcas dilo claramente. Si eres coherente y sincera, tu declaración actuará en tu favor.

Confrontar al agresor

Confrontar al agresor puede ser una de las tareas más arduas y difíciles a las que se enfrenta un superviviente de agresiones sexuales. No es algo que todos los supervivientes se sienten preparados para hacer y tampoco es algo «imprescindible» o «que se tiene que hacer». Pero lo cierto es que muchas supervivientes, en algún momento de su vida, sienten la necesidad de confrontar a su agresor y en muchos casos lo llevan a la práctica con resultados diversos.

Si ése es tu caso y has pensado en hablar con tu agresor y aclarar algún aspecto de la agresión, es importante que valores previamente la situación. Si estás realizando una psicoterapia seguramente este tema lo planificarás con tu terapeuta. Si no es así, te ofrecemos algunas sugerencias que pueden resultarte de utilidad. No son un recetario de cocina, sólo un guión o unas pautas para que la confrontación no sea una nueva agresión para ti:

- Clarifica cuáles son tus motivaciones, qué es lo que deseas conseguir hablando con tu agresor.
- Una vez definas tu objetivo, piensa en lo peor que podría pasar (la diferencia entre lo que desearías oír y lo que es posible que te diga). En el peor de los casos, piensa en qué recursos posees para afrontarlo.
- Es importante que sientas que puedes manejar la situación; si no es así, quizá sea más útil trabajar más tus recursos personales antes de tener esa conversación.
- El siguiente paso es planificar el encuentro:

  1. Dónde podrías verle (piensa en un lugar en el que te sientas segura, quizás en un lugar público o un lugar del que puedas marcharte cuando lo decidas).
  2. Cuánto tiempo deseas que dure el encuentro (no permanezcas en la situación más tiempo del imprescindible).
  3. Si deseas ir sola o que te acompañe alguien más (alguien de la familia, algún amigo, etc.).
  4. Con quién puedes quedar después para que te dé apoyo o te ayude a hablar de la experiencia si es que lo necesitas.
  5. ¿Qué es lo que deseas decirle?

Es posible que delante del agresor hagas una regresión emocional espontánea, conectando con sentimientos relacionados con el abuso y con cómo te sentiste en aquellos momentos. Lleva alguna cosa que te recuerde que estás en el presente y no te permita hacer regresiones al pasado (por ejemplo, algún objeto pequeño que puedas tener en tus manos).

Si sientes que necesitas confrontar a tu agresor, tú sabrás cuándo es un buen momento para hacerlo, pero suele ser útil haber resuelto previamente algunos de los efectos que el abuso ha podido tener en tu vida. De lo contrario es posible que vuelvas a sentirte agredida de nuevo.

Si no deseas hablar con el agresor de lo sucedido, también está bien. Durante las agresiones sexuales tu vida estuvo en sus manos, así que ahora es importante que puedas decidir qué deseas y qué no deseas hacer en cada momento.

El perdón

> El perdón tiene muchas capas y muchas estaciones. En nuestra cultura se tiene la idea de que el perdón ha de ser al ciento por ciento. O todo o nada. También se nos enseña que perdonar significa pasar por alto, comportarse como si algo no hubiera ocurrido. Tampoco es eso.
>
> Clarissa Pinkola Estés

Muchos supervivientes se preguntan si tienen que perdonar a su agresor, si desean hacerlo o si creen que podrán hacerlo. En otras ocasiones —sobre todo en casos de abusos en la infancia, pero no necesariamente— los supervivientes se preguntan si podrán perdonar a aquellas personas que no les protegieron, aquellas que aun sabiendo lo que ocurría fueron testigos mudos. Otras veces quizá nadie del entorno suponía lo que estaba ocurriendo, ni siquiera los padres o hermanos. Incluso así, puedes sentir que no te protegieron, que deberían haberse dado cuenta. De niños tenemos muchas veces la creencia de que los padres son seres omnipotentes. Ésta es una fantasía que solemos abandonar a medida que crecemos.

Trabajando con supervivientes este tema ha ido apareciendo una y otra vez y me he hecho las mismas preguntas que mis clientes: ¿es bueno perdonar?, ¿es posible?, ¿puede o debe el agresor pedir perdón a la víctima? Y hemos ido encontrando juntos diferentes respuestas provisionales a lo largo del tiempo.

La conclusión a la que han llegado todos los supervivientes que conozco es que cualquier camino que emprendas hacia tu bienestar pasa por reconciliarte contigo misma. Esto hace referencia a que puedas perdonarte en tu interior por lo que te ha pasado, que encuentres la paz dentro de ti. El pasado es algo que no puedes cambiar, pero sí puedes modificar tu forma de mirarlo y darte permiso para tener una vida satisfactoria y plena. Si logras seguir adelante con tu vida, estás logrando que la agresión no la invada permanentemente. Ése puede ser tu mayor triunfo.

Sé que es más fácil decirlo que hacerlo, pero el testimonio de que otras personas lo han logrado puede ser un acicate para seguir adelante. Revisa un poco:

¿De qué te sientes culpable? ....
¿Qué podrías haber hecho diferente? ....
¿Qué cosas era imposible haber hecho de otra forma? ....
¿Con quién sigues enfadada? ....
¿A quién perjudica más tu enfado? ....
¿A quién beneficia más? ....
¿Cuál sería la mejor solución posible para ti? ....

Seguir haciéndote reproches por lo que no pudiste evitar y hacérselos a las personas que te perjudicaron es una manera de permanecer atrapada en la agresión. En este caso te ayudará poner límites claros para no permitir que te vuelvan a dañar. También ayuda pedir una reparación y, por lo tanto, aceptarla si es que se produce. Algunos supervivientes no lo hacen porque sentir que el agresor está permanentemente en deuda con ellos les da una sensación de poder, pero en el fondo es una trampa, porque implica seguir enganchado a la agresión. Aceptar la reparación es como zanjar cuentas pendientes.

La frase que resumiría el perdón podría ser: «Renunciar a la venganza», que no es lo mismo que renunciar a una reparación justa.

Renunciar a la venganza quiere decir desenredarse de la agresión, no convertirla en el centro de tu vida.

Tampoco es muy positivo que el agresor te pida perdón (entendido como «Vamos a olvidar lo que pasó, borrón y cuenta nueva»), porque eso sería como deshacer lo hecho. Esa situación implicaría que de nuevo tú asumes la responsabilidad y has de satisfacer las necesidades del agresor, como si su bienestar dependiera de ti. Incluso aunque todo vaya muy bien, la agresión se produjo, fue real y tú la viviste. Tú no tienes ninguna responsabilidad, sino el agresor, y él la tiene que asumir. Algo como decirle internamente «te dejo con tu responsabilidad y me retiro de todo esto» puede ser útil (Hellinger y Ten Hovel, 2000).

En todo caso, esto sólo son ideas. Lo que te haga sentir más cómoda es lo mejor para ti. Y quizás en momentos diferentes de tu proceso veas las cosas de forma distinta. Escúchate y verás que la respuesta sólo la tienes tú.

Elisabeth Kübler-Ross, en su libro autobiográfico *La rueda de la vida*, narra su encuentro, en el campo de concentración de Maidanek, con una superviviente del holocausto nazi en el que murió toda su familia y lo que ésta le explicó:

> Para animarse se imaginaba que el campo iba a ser liberado. Dios la había escogido, pensaba, para sobrevivir y contarle a las generaciones futuras las barbaridades que había visto allí.
>
> Eso fue suficiente, me explicó, para sostenerla durante la parte más ardua del frío invierno. [...] y entonces se decía: «Debo vivir para contárselo al mundo. Debo vivir para contar los horrores que ha cometido esta gente». Y así alimentaba su odio y resolución de continuar viva hasta que llegaran los Aliados.
>
> Después, cuando el campo fue liberado y se abrieron las puertas, se sintió paralizada por la rabia y amargura que la atenazaba. No logró verse dedicando el resto de su valiosa vida a vomitar odio.
>
> —Como Hitler —me dijo—. Si dedicara mi vida, que me fue perdonada, a sembrar las semillas del odio, no me diferenciaría en nada de él. Sería simplemente una víctima más que intenta propagar más y más

odio. La única manera como podemos encontrar la paz es dejar que el pasado sea el pasado (Kübler-Ross, 2004, págs. 101-103).

Más allá de la supervivencia

> La fuerza salvaje de nuestra psique espiritual nos sigue como una sombra por un motivo. Según un dicho medieval, si bajas por una pendiente y te sigue una fuerza poderosa, y si esta fuerza poderosa logra apoderarse de tu sombra, tú también te convertirás en una fuerza poderosa por derecho propio.
>
> CLARISSA PINKOLA ESTÉS

Haber sido víctima de una agresión sexual, como hemos visto, puede haber tenido muchos efectos en tu vida. Algunos quizá ya los has superado, otros puede que todavía no. Algunas personas se quedan mucho tiempo atrapadas en el papel de la víctima que no puede avanzar de lugar y otras salen con facilidad de él. La mayoría de personas que han sufrido algún tipo de agresión sexual luchan desesperadamente por sobrevivir y hacen todo lo posible por salir adelante. Ésta puede ser una tarea muy larga, pero suele valer la pena. Y, por último, llega el momento de dejar de ser también una superviviente, de ser simplemente tú, de dejar que la agresión ya no sea todo tu pasado y el centro de tu vida y se convierta en una experiencia más que te empuja para seguir adelante.

Cuando una agresión se convierte en una experiencia traumática el cuerpo y la mente se separan dificultándote la conexión contigo misma. Reconectarte contigo es una fase fundamental para reconectarte con el mundo. Una agresión puede ser una experiencia muy dura, pero si logras superarla con éxito puedes alcanzar un crecimiento emocional y espiritual extraordinario. Eso no quiere decir que sea bueno que haya sucedido ni que ésta sea la única manera de lograrlo, pero si consigues trascender el dolor y lo puedes utilizar para hacer algo constructivo con él, seguro que has alcanzado un nivel de comprensión de ti misma y de lo que te rodea muy significativo.

Algunas personas lo utilizan para ayudar a otros que han vivido experiencias similares, para luchar por cambios sociales o políticos en su comunidad; otras, para transformar su vida o para conectar con aspectos más profundos de sí mismas, para transformar su sufrimiento en creatividad a través del arte, etc.

Quizá puedas pensar de qué forma te gustaría a ti transformar lo que te ha ocurrido de manera que te permita crecer y seguir adelante de una forma positiva.

> Cuando el trauma se transforma, uno de los obsequios que brinda la curación es una admiración y una reverencia candorosa por la vida. [...] Cada trauma proporciona una oportunidad para una auténtica transformación. El trauma amplifica y evoca la expansión y contracción de la psique, del cuerpo y del alma. El modo en que respondamos al incidente traumático determinará si el trauma será una cruel y represiva Medusa que nos convertirá en piedra o si, por el contrario, será un maestro espiritual que nos llevará a lo largo de vastos senderos inexplorados (Levine y Frederick, 1999, págs. 199-200).

¿Y si deseo hacer una psicoterapia?

¿CÓMO BUSCAR AYUDA?

En muchas ocasiones a lo largo de mi vida me dije: «Yo sola puedo con esto, no necesito ayuda de nadie», aun sabiendo que eso no era cierto. Aunque la verdad era que, primero, no sabía adónde dirigirme a buscar esa ayuda y, segundo, el miedo que sentía por no saber a quién iba a encontrarme o qué es lo que sucedería me paralizaba.

Una de las cosas que encontrarás en este libro son distintas direcciones de lugares a los que puedes acudir para pedir información. Respecto a la duda que yo tenía, sobre qué tipo de persona me iba a encontrar, uno mismo debe darse permiso para elegir al tipo de profesional con el cual se sienta cómodo y se ajuste a sus necesidades. Si no funciona con el profesional que encuentres la primera vez, puedes darte una segunda oportunidad.

Yo he visitado a cuatro profesionales en diferentes momentos de mi vida, hasta que encontré a la persona que me ayudó. Quizá la primera vez no era el momento adecuado, o no estaba preparada para hacer un trabajo como el que hice más tarde. Con lo poco permisiva que era conmigo misma, sobre esta cuestión fui generosa al darme nuevas oportunidades.

En las dos ocasiones siguientes, no me sentí cómoda ni segura. No era por ser exigente, no buscaba la perfección en nada, sólo necesitaba una persona que me transmitiera seguridad, comprensión y sí, ¿por qué no?, que fuese un poco afectuosa. Ante todo somos seres humanos y creo que no es lo mismo trabajar con personas que hacerlo con una máquina.

Yo necesitaba encontrar a un ser humano que me escuchara, que supiera explicarme por qué yo me sentía de esa manera, que me tratara con tacto, ya que en muchas ocasiones mi vida pendía de un hilo. Alguien capaz de cogerme la mano y simplemente permitirme llorar a su lado, en silencio, respetar si estaba capacitada para dar un paso más o no.

Cuando uno acude a terapia no creo que vaya por emplear su tiempo en cualquier cosa, asiste porque quizá lo necesita para vivir. No es que crea que un psicólogo tiene que resolverle la vida a cualquiera que se presente en su consulta, pero tal vez sí mostrarse comprensivo con la persona que tiene delante.

Pienso que cada uno de nosotros sabemos (hasta cierto punto) lo que realmente necesitamos para sentirnos mejor, sólo que puede que necesitemos de alguien para que nos enseñe la forma de utilizarlo.

Sería una buena manera de empezar: escucharse a uno mismo. Sé que no es fácil buscar la solución, que a veces puede parecer difícil el camino de la recuperación, pero puedo asegurar que merece la pena pasar por todo ese proceso, a mí me ha hecho valorar más las pequeñas cosas y, por todo ello, por todo lo vivido procuro disfrutar a tope todos los momentos de mi vida. Yo luché por conseguir la vida que deseaba y la conseguí.

Mi humilde opinión es que si crees que necesitas apoyo, busques un buen profesional que pueda ayudarte a encontrar tu camino y tengas confianza en ti mismo. Espero que en estas páginas te hayas sentido acompañada y eso te sirva para decidirte a buscar un futuro mejor. Ya sabes lo que hay en tu pasado, así que trabaja para conseguir una vida libre y feliz. Y disfrútala.

¿Qué tipos de psicoterapias existen?

Si decides hacer una psicoterapia es posible que te sientas abrumada por la cantidad de orientaciones y formas de trabajar tan diferentes que existen. Son tantas y con planteamientos tan variados que sería imposible nombrarlas todas aquí. Algunas quizá te suenan más familiares, como el psicoanálisis, y otras pueden tener nombres que te resulten extraños. No existe un tipo de psicoterapia mejor que otro, todos pueden ser buenos si quien los realiza es un profesional competente y cuidadoso. A mí me parece que es más importante la persona que sus técnicas de trabajo.

Quizás hayas oído hablar de terapias individuales, de grupo, de pareja o familiares. Voy a explicar brevemente cada una de ellas:

- En la terapia individual te encuentras tú sola con tu psicoterapeuta. Allí dispones de un espacio seguro para ti y puedes ir al ritmo que tú necesites, clarificando tus dudas y preocupaciones. Entre tu terapeuta y tú decidiréis cuáles son los objetivos y las metas que alcanzar y cómo trabajar para conseguirlos. Se crea una alianza y una confianza tan grande que es posible que le expliques cosas que no te habías atrevido a explicar a nadie antes. Algunos terapeutas se centran más en el presente y en el futuro y te ayudan a buscar estrategias para conseguir tus objetivos, y otros consideran que es mejor centrarse en el pasado y en el origen de tus problemas.

Lo más habitual es que las visitas sean semanales o quincenales, pero es posible que pactes con tu terapeuta con qué frecuencia deseas que os encontréis.

Si por alguna razón sientes que no estás cómoda con ella o él, considera la posibilidad de buscar otro. Cuando dos personas se encuentran no siempre congenian y no todos los métodos de trabajo tienen que irte bien a ti. Si no estás cómoda no podrás aprovechar la psicoterapia. Lo fundamental para que la psicoterapia funcione es que haya un clima de confianza, que sientas que el profesional que tienes delante es capaz de ayudarte y que te sientes segura con ella/él.

- En la terapia de grupo uno o dos psicoterapeutas se reúnen con un grupo de supervivientes. Algunos grupos son muy estructurados, con objetivos muy claros y delimitados, mientras que otros son más flexibles. Si tiene un número de sesiones delimitado es muy probable que tenga objetivos muy concretos, y si es un grupo de larga duración es posible que el contenido sea menos estructurado. Aquí las fechas de los encuentros están pautadas y te tienes que adaptar a los horarios programados.

Lo más positivo de los grupos es que te encuentras con personas que están viviendo experiencias similares a la tuya y de esa forma se rompe la sensación de aislamiento, de sentir que estás sola y que lo que te pasa a ti no le ocurre a nadie más.

Es posible que te asuste la idea de participar en un grupo por el hecho de tener que hablar delante de varias personas y compartir con ellas tu intimidad al mismo tiempo que ellas comparten la suya contigo. Algunas supervivientes dicen: «Bastante tengo con lo mío como para tener que escuchar los problemas de otros».

La mayoría de participantes en grupos superan estos miedos nada más iniciar el grupo y lo valoran como algo muy positivo. Sin embargo, si a ti te resulta extremadamente difícil no tienes que obligarte, puedes encontrar otra opción mejor para ti.

A veces es mejor empezar con una terapia individual y luego asistir a un grupo manteniendo también la primera. En un grupo se mueven muchos temas y muchas emociones con una intensidad que en una terapia individual difícilmente podría lograrse. Pero la propia dinámica del grupo hace que no siempre todos los participantes puedan clarificar y resolver todas las experiencias que suceden en el grupo. Una terapia individual puede ser un espacio excelente para darle sentido a todo lo que experimentas en el grupo.

- Como una modalidad aparte existen grupos de autoayuda formados por supervivientes que se reúnen para hablar de sus dificultades y de sus recursos para afrontarlas. En nuestro país no es muy habitual encontrar este tipo de grupos, pero en algunos países como Estados Unidos es muy frecuente. Pueden ser útiles también, pero debido a que se trata de un tema muy complejo y doloroso, hay temas que tienden a evitarse, y las personas que tienen dificultades más graves no siempre sacan provecho de estas experiencias (sobre todo si hay problemas con la comida, con adicciones, autolesiones, etc.). Sin embargo, pueden ser muy útiles para sentir el apoyo y la comprensión que necesitas.
- En una terapia de pareja acudes a las sesiones con tu pareja y os encontráis con un terapeuta o dos. El objetivo es resolver las dificultades que tienen que ver con la relación de pareja. Por ejemplo, las dificultades en las relaciones sexuales, en la comunicación, etc. Las parejas de supervivientes a veces tienen dificultades para entender lo que representa ser víctima de una agresión sexual y todo el dolor que comporta. Otras veces se sienten tan ofendidos que parecen ser ellos los agredidos y

quieren llevar a cabo una venganza que la superviviente no desea. Algunas supervivientes descargan contra su pareja toda la rabia contenida, muchas veces sin ser conscientes de ello.

Éstos son algunos de los temas que se pueden trabajar en una terapia de pareja. Cada persona llega a la pareja con un equipaje: su historia personal y familiar, y a veces es complejo negociar en la relación una forma de funcionar que sea adecuada para las dos personas.

- En la terapia familiar un terapeuta o dos se reúnen con la familia. Esta modalidad de terapia es muy útil en caso de trabajar con niños pequeños, adolescentes o supervivientes que todavía viven con sus familias. Si eres adulta y vives sola, con tu pareja y/o tus hijos, quizá no tenga tanto sentido ir con tus padres y hermanos a terapia (depende mucho de las circunstancias y las necesidades de cada persona). Tanto en este tipo de encuentros como en los de pareja las visitas suelen ser más espaciadas porque el tipo de trabajo que se realiza es más intenso.

  La ventaja de la terapia familiar es que se trabaja con el dolor de toda la familia. Si la agresión ha sido perpetrada por un conocido, la familia —sobre todo los padres— se enfrenta al hecho de que no pudieron protegerte y eso puede generar sentimientos de culpa.

  Si la agresión se produjo dentro de la familia, el resto de personas que la forman también están implicadas y es importante que puedan entender cuál es su papel a la hora de resolver el conflicto familiar.

  Algunos terapeutas trabajan teniendo al agresor también presente, pero muchas veces es algo excesivamente angustioso y amenazador. Algunas veces resulta útil, pero se tiene que hacer un trabajo previo tanto con la superviviente como con el agresor y con el resto de la familia.
- Existe una modalidad de terapia que incluye el trabajo en grupo y el trabajo familiar. Se trata de las Constelaciones Familiares. Se suele realizar en talleres intensivos, de uno a tres días

habitualmente, y está formado por un grupo de clientes que desean trabajar sus dificultades (no suele haber talleres específicos para supervivientes de agresiones sexuales, pero eso en vez de ser un inconveniente puede ser una ventaja). En el grupo, quien lo solicita trabaja asuntos familiares a través de los otros miembros del grupo que hacen de representantes. Es un trabajo muy potente y posee la ventaja de que no tiene que ir tu familia. En algunas situaciones, después de desvelarse el secreto de la agresión la familia está en un estado de crisis tal que la superviviente no desea compartir su terapia con sus padres y hermanos.

Es un tipo de terapia muy recomendable para supervivientes adultos, puesto que a veces ni siquiera la familia sabe de la agresión. El objetivo de este trabajo es encontrar el orden en el amor familiar que permita que éste fluya de nuevo.

Cuando elijas hacer una psicoterapia es importante que tengas en cuenta que ocupa mucha energía física y mental. Es buena idea que la inicies cuando te sientas preparada, porque en algún momento va a doler, en algún momento vas a recordar cosas que desearías olvidar. Si estás en crisis te permitirá contener tu angustia, pero si toda tu experiencia de abusos está muy bloqueada puedes sentir que a medida que pasan las sesiones el dolor empieza a aflorar, ése que has tenido durante tanto tiempo taponado. Pero no tiene por qué durar mucho, a veces es un período por el que hay que pasar.

Te ayudaría poder encontrarte con tu terapeuta en momentos en los que no tienes que ir luego a trabajar o hacerte cargo inmediatamente de tus hijos, sino que después de cada sesión dispones de un tiempo para ti, para poner tus ideas en orden. Si eso no es posible, puedes encontrar alguna estrategia para desconectar de la psicoterapia y conectar con tu vida diaria.

2

Toñi: una historia de supervivencia

Érase una vez una niña de ojos grandes

Desde el momento en que Ángela me comunicó que le habían propuesto la idea de que escribiésemos un libro, me pareció genial. Mi primer pensamiento fue que era una buena forma de paliar el silencio en el que durante tanto tiempo me había visto envuelta y que tanto me pesaba. Muchas veces había deseado gritarle al mundo que yo estaba sufriendo abusos y, quizá por ello, a veces me comportaba de una forma un tanto extraña. Más tarde, pensé en todas las veces que necesité leer sobre otra persona a la cual le hubiesen ocurrido las mismas cosas que a mí.

Era curioso, yo que siempre había sido tan vergonzosa, en ningún momento sentí un atisbo de vergüenza por publicar esto. Supongo que ahora, desde la distancia, veo que el silencio es el arma más poderosa con la que cuentan los abusadores. Por ese motivo quisiera que este tema dejase de ser un secreto. No me gusta que este tema sea un tabú, que se mire como algo deshonroso, que sea motivo de vergüenza para nadie ni que nadie sea visto como un bicho raro por ello.

Somos personas fuertes, más de lo que a veces nos creemos, ya que para sobrevivir a un abuso se necesitan muchos recursos para aguantar en el día a día. Una de mis mejores estrategias era mi jardín secreto. Aprendí a combatir las sensaciones de miedo, asco, dolor y tristeza, todo ese pesar que llevaba siempre a cuestas, creando para mí una vida mágica. En mi habitación, con mis ositos de peluche y mi entusiasmo por los animales, empecé a fabricar una dulce y maravillosa vida totalmente distinta a mi día a día. Ya no vivía en la ciudad ni en un piso. En mi sueño, empecé a vivir en una casita en el campo, sola con mis papás, mis hermanos y mis animales, rodeada de unas maravillosas montañas verdes, donde no podía pasar nada malo, era totalmente imposible. Al más puro estilo Heidi *y* La casa de la pradera. *¿Quién no se sentía feliz viendo aquellas maravillosas series, con gente perfecta, niñas perfectas, papás divinos y vecinos celestiales?*

A mí me fascinaba todo aquello, así que me puse manos a la obra e inventé la mejor de las historias para mí. Éste pasó a ser mi gran jardín secreto y gran parte de mi vida. Tan pronto pasaba de ser una niña inmensamente feliz a ser el ser humano más triste y desgraciado del mundo. Para mí se hizo una situación tan normal, ahora feliz, ahora triste, que pensé que eso sería mi vida, un sin vivir, un asco.

Pero yo, aun sin saber que todo ese problema tenía solución, tenía muy claro que no tenía suficiente con una vida a medias, necesitaba de algún modo darle la vuelta a toda aquella situación. Yo quería para mí una vida plena, totalmente libre de culpas, de llantos y de dolor infligidos por un sinvergüenza.

Por supuesto que era consciente de que en la vida podían aparecer otros problemas, que tendría otras inquietudes. Pero debía solventar mi historia de abusos de modo que no volviese a hacerme sufrir. Nunca se me habría ocurrido que después de tantos años iba a ser capaz de cambiar y controlar mis estados de ánimo y también mi vida hasta el punto en que he llegado a conseguirlo. Me costó tiempo asumir la estabilidad que había conseguido después de dos años de terapia. A día de hoy, lo que me asombra es que la niña que fui hubiese pasado por todo aquello.

Algunas veces me sorprendo a mí misma preguntándome: «¿Te das cuenta de lo que has conseguido?». Me asombro porque he logrado algo más que el mejor de mis sueños. Realmente, en ningún momento de mi anterior vida pensé que llegaría a sentirme como hoy me siento: libre, feliz, contenta, tranquila, fuerte, optimista. Todo a la vez.

Por supuesto que mi pasado sigue estando ahí conmigo, pero ya no es doloroso, es más, ni siquiera me molesta. Al principio de mi recuperación pensé que era una buena racha de esas que me duraban semanas. Pasé incluso meses extrañándome por sentirme feliz. Tanto tiempo sintiéndome bien era una novedad, y lo cierto es que me preparaba de alguna forma porque pensaba que en algún momento volvería a apoderarse de mí la tristeza.

Pasó más de un año y tuve que considerar la posibilidad de que, después de tanto trabajo y esfuerzo por mejorar mi vida, había dado resultado. Acepté que lo que estaba sucediendo era ni más ni menos la recompensa a tanto buscar en mi interior, a desglosar toda mi vida y mi alma, enfrentándome a tanto dolor como suponía recordar y reconocer todo lo que me había tocado vivir. Ésa era la única manera de ser libre. Alguna secuela me ha quedado, pero es mínima, nada que ver con la chica que era antes. Nadie mejor que yo podrá comprender jamás lo que ha supuesto para mí vivir de la forma que yo he vivido, sentir lo que he sentido y saber lo que yo misma me he llegado a hacer física y psicológicamente.

He reconvertido mi vida, cuando me enfrento a un problema, por grande que sea, pienso: «Vamos, Toñi, si has podido con los abusos no hay nada que pueda contigo». Una de las cosas que más me alegra es que no he vuelto a llorar por haberlos sufrido.

Hoy en día soy capaz de recordar muchos de los momentos de mi infancia en los que era muy feliz, recuerdos de la niña que fui. El recuerdo más antiguo que tengo es el de estar en la habitación de mis abuelos. Había dos camas y una mesilla de noche. Yo estaba sentada en la cama de mi abuelo mirando a mi abuela Antonia y la contemplaba fascinada. No sé bien la razón, pero siempre he sentido algo muy especial por ella. Pude conocerla bien poco, falleció cuando yo tenía unos 5 años y casi todo lo que sé de ella es por lo que me han contado. Sin embargo, recuerdo la sensación tan agradable de bienestar y protección que tenía cuando la miraba. Siempre fue una mujer luchadora, protectora de los suyos y valiente, muy valiente, en una época en la que era el hombre el único que contaba.

No he conocido a ninguna persona que tuviera un mal recuerdo de ella. Quienes la conocieron destacan su valentía, su naturalidad, sus ánimos para vivir y luchar con coraje, manteniendo a su familia unida y en armonía. Ella ha sido mi única heroína, el modelo de mujer en el que me he fijado y al que he querido parecerme. Siempre he aspirado a tener su energía y su gran capacidad de lucha. Me gusta pensar que la fuerza que encuentro dentro de mí para afrontar cualquier reto en la vida es su herencia. Siempre llevo conmigo el sentimiento de que ella camina junto a mí.

De pequeña era feliz en casa, con mis padres y mis hermanos. Mari —a quien siempre llamo Li— es la mayor, Agu el mediano y yo la pequeña, «la niña», como dice aún mi madre cuando se refiere a mí. Me llevo cinco y cuatro años respectivamente con ellos. Somos una familia normal, de clase trabajadora. Mis padres han sido cariñosos con nosotros, buenos, atentos, divertidos, preocupados por nuestro presente y nuestro futuro, dispuestos a trabajar horas y horas para cubrir nuestras necesidades.

Nos han dado una buena educación, ésa ha sido una de sus mayores prioridades. Pensaban que una buena educación es la base de un buen futuro. Nosotros siempre hemos sido respetuosos con ellos; hacía falta sólo una mirada de mi padre cuando te pasabas de la raya y ya sabías que estabas metiendo la pata.

En casa no pasaban cosas raras, no había autoritarismo, tanto mandaba mi padre como mi madre, tanto hacía uno como el otro. Mi hogar era un lugar normal, seguro, alegre.

Mucha gente cae en el error de creer que los abusos sexuales a un menor ocurren por la falta de cuidados o la despreocupación de uno de los padres, y eso no es del todo cierto. En mi casa, mejor de lo que se hizo no se podría haber hecho y, sin embargo, ocurrieron.

No puedo precisar la edad exacta a la que comenzaron los abusos; desde que tengo uso de razón ya tengo esa sensación de inquietud. Lo que sí recuerdo claramente es que, cuando iba a la guardería, ya me quedaba llorando porque no quería separarme de mi madre, no quería que me dejara allí sola, sentía pánico nada más ver la puerta.

Empecé la guardería a los 3 años, y entonces ya era muy miedosa. Había una niña mayor que yo llamada Antonia que a veces me pegaba; yo me decía a mí misma que cuando fuera mayor le pegaría a ella. Tuve ese pensamiento durante mucho tiempo porque fue una época dura para mí. Supongo que entonces ya sucedía algo y el hecho de que, además, tenía que separarme de mi madre empeoró las cosas.

Mi agresor era cercano al entorno familiar, un conocido de mis abuelos y vecino nuestro. Supuestamente un dulce anciano, una persona mayor a la cual, por la edad que tenía, debíamos guardarle respeto. Eso decía mi padre: «A las personas mayores siempre hay que respetarlas como si fueran tus abuelos».

Cuando yo nací, mi abuela Antonia ya estaba enferma en cama, padecía de artrosis y reumatismo, ya no podía tenerse en pie y mucho menos ocuparse de ninguno de nosotros. Por ello, como mi madre tenía mucha confianza con la esposa de mi agresor, si tenía que hacer un recado rápido o ir a comprar alguna cosa y llovía o hacía frío me dejaba en casa con ellos.

¿Quién se iba a imaginar que él era un sinvergüenza y ella otro tanto de lo mismo? Daba la casualidad de que la mujer siempre tenía que salir un momento o un buen rato a la calle y yo me quedaba a solas con él o, mejor dicho, a su disposición. Otras veces simplemente me pillaba por la escalera cuando yo me disponía a subir a casa. Donde yo vivía había un parque rodeado de unos cuantos edificios, no había peligro ni teníamos que cruzar carreteras y muchas veces me bajaba a la calle con mis hermanos.

Si mi madre me llamaba o tenía que subir a buscar algo a casa, la merienda o un juguete, podía ir yo sola. Así que para él era presa fácil. Al inicio de los abusos recuerdo que todo era extraño, pero no doloroso. Luego llegó un momento, no sabría decir cuándo, en que descubrí la malicia en sus ojos y la falta de inocencia en sus actos. Ahí se terminó mi cuento de niña y empezó la extraña y dolorosa realidad. Bien prontito me enseñó lo que es la crueldad.

No era nada complicado acceder a la situación que él quería. No le resultó difícil embaucar a una inocente criatura con mentiras sobre que «sólo vamos a jugar, pero no debes decir nada porque es muy peligroso».

Urdió para mí una tremenda y terrorífica tela de araña. No tenía suficiente con utilizarme, manosearme y obligarme a un sinfín de «juegos» sexuales, sino que también tuvo que vejarme, contándome historias horribles de lo que me pasaría si no accedía a sus peticiones.

Me prohibía usar pantalones. Si los llevaba me hacía subir a casa y me decía hasta la excusa que tenía que darle a mi madre para cambiarme de ropa. Debía bajar inmediatamente para que me diera su visto bueno. Conforme iba creciendo la situación se iba complicando porque ya no resultaba tan sencillo eso de engañarme, así que tuvo que recurrir a las amenazas. Cada vez que yo protestaba, tenía una forma de convencerme. Unas veces me decía que si yo contaba algo mi padre podía morirse, otro día afirmaba que me separaría de mis hermanos, también mi familia podía cambiarse de casa y abandonarme en la calle o podrían pegarme sin parar por ser mala.

Sencillo, todo le resultaba tan sencillo como cruel y perverso, un día tras otro, un mes tras otro, un año tras otro año. Así viví, bajo esa dictadura, con miedo a algo desconocido, algo peor de lo que ya estaba ocurriendo, hasta aproximadamente los 11 años. Mientras duraron los abusos tuve la sensación de que aquello no era normal, que no debería estar sucediendo. Yo recordaba los tebeos de Zipi y Zape que leía mi hermano y pensaba que, igual que alguien escribía y dibujaba aquellos tebeos, podría estar haciendo lo mismo con mi vida. Que había alguien en alguna parte escribiendo una historia de cosas raras. Esperaba y esperaba, porque sabía que si eso era así, tendría un final cercano, como ocurría en los tebeos. Me preguntaba si Zipi y Zape estaban enterados de que eran unos dibujos o les ocurría igual que a mí, que alguien escribía y dibujaba mi vida y yo pensaba que todo aquello era real. Me paseaba por casa mirando por todas partes, intentando encontrar algo que me indicara que tenía razón, que sólo era un tebeo, que mi vida era una maldita historia y alguien cerraría el tebeo y yo y toda mi vida desaparecerían. Lo que ocurría es que alguien estaba jugando a escribir un tebeo sucio, un libro de malos y por eso pasaban tantas cosas raras.

No estaba del todo equivocada. Claro que alguien jugaba conmigo y con mi vida a cosas malas, mi agresor, pero trata de entenderlo con 6, 7 u 8 años. Hoy me cuesta explicarme a mí misma cómo era posible que siendo tan niña pudiera pensar aquellas cosas, ¿de dónde sacaba aquellas ocurrencias? Supongo que solamente quería comprender y no sabía cómo. Miraba las paredes, los techos, el suelo, los armarios para ver si el que estaba escribiendo mi vida se había olvidado de dibujar mi ropa, mis cosas y así yo descubriría que todo era una mentira, que aquello no estaba ocurriendo. Miraba con miedo, la verdad, porque cuando aquello se supiese tendría más problemas todavía, más miedo. Pero daba igual, ya todo me empezó a dar igual. En los tebeos y los dibujos de la tele las historias casi siempre terminan con un final bonito, así que esperaba que alguien dijera que aquello era un juego y todo estaba bien. No era posible que aquella constante pesadumbre fuese algo natural. Sólo tenía que esperar, alguien tenía que terminar con aquello. Así que ésa era mi única solución: esperaba y esperaba.

Yo miraba a mi alrededor y me seguía preguntando: «¿Qué pasa que aquí nadie se da cuenta de nada? ¿Será normal todo esto? ¿Hasta cuándo será así? ¿Mis padres lo sabrán y nadie dice nada porque esto es la vida?». Éstas son sólo unas cuantas preguntas del sinfín que yo me hacía a lo largo del día. Igual que andaba buscando al dibujante del tebeo por toda la casa, por la calle o por cualquier parte.

Por mucho que quisiera llegar a entender muchas situaciones en las que me encontraba con mi agresor, lo cierto es que había días bastante duros en que los nervios se me escapaban de las manos. Visto desde ahora, con la mirada de adulta, me doy cuenta de que era imposible que aquella niña no se sintiera perdida y confundida por no entender lo que sucedía. No era justo. Cuando volvía a casa, después de haber estado cerca de él, me volvía loca tratando de entender por qué si yo no me dejaba tocar, le sonreía o le tocaba a él, se acabaría la vida para mí. ¿Qué significaba aquello? Según sus palabras, la vida de mi padre estaba en mis manos. «¿Sabes que él morirá si dices algo de todo esto? Se irá y jamás volverás a verlo, ¿lo tienes claro?» Y esperaba que le contestase con la mejor de mis sonrisas.

Yo tenía que estar feliz porque él estaba conmigo, porque me quería. Me tocaba porque me quería. Era normal. Si yo me sentía mal, si no estaba contenta era por algún motivo que no quería decirle, algo que le ocultaba: «Quizás eres mala, por eso te sientes mal. No sabes lo que hacer, pero no tienes que preocuparte, nunca te quedarás sola».

Cínico y sucio. Tenía que callar. Constantemente me lo repetía. Todos los días, una y otra vez: «No puedes decir nada a nadie, ya lo sabes, ¿verdad que sí?, ellos no lo entenderán y será el fin para ti».

¡Ahora todo parece tan fácil...! ¡Hubiese sido tan sencillo escapar de haber sabido que todas sus palabras eran mentira! Pero lo cierto es que cuando eres poco más que un bebé es imposible llegar a esa conclusión. No era muy difícil creer que era una inútil porque casi todos los días él me lo recordaba.

Los dos últimos años en que hubo agresiones cambió la forma de hablarme, su tono de voz, la manera de tratarme. Ya no había tono dulzón ni dibujos en la tele. Sólo eran monólogos por su par-

te, como sacados de una película pornográfica. Yo me quedaba alucinada, no sabía reaccionar a todo aquello. Simplemente estaba ahí. Encontré un método de evasión, empecé a pensar que yo era una roca, una piedra que ni siente ni padece. No sentía frío ni calor, no sentía dolor, ni miedo ni asco, no había nada. Sólo vacío. Pasar de unas situaciones a otras y desconectar de una emoción para conectar con otra con tanta frecuencia hicieron que mis días pasaran a ser un caos. Como me enseñó a ser una gran mentirosa me especialicé en ocultar cualquier sentimiento de dolor y mi tremenda confusión.

Una de las cosas que empecé a tener muy claras durante mi terapia era que no volvería a mentir, no me mentiría más sobre mis sentimientos. Si no quiero que nadie sepa lo que siento no lo digo, pero no digo más mentiras porque no me da la gana. Estoy muy cansada de ellas, porque sólo me hacían sentir una tremenda confusión y ansiedad por no saber distinguir la realidad de lo que me inventaba.

Sin saberlo siquiera, empecé a utilizar estrategias. Era mi manera de sobrevivir. Durante la elaboración de estas páginas, al recordar a la niña que fui, me he sentido orgullosa porque he recordado a una niña valiente, luchadora y con una imaginación desbordante. Con sus recursos, con sus historias de niña, me ha permitido llegar a la mujer que soy hoy. Y no dejo de asombrarme al recordarla. No pienso en cómo podría haber sido mi vida si no hubiese vivido una historia de abusos, sería imposible saberlo. Yo he llegado a aceptar mi pasado, me he reconciliado con él y conmigo misma, sobre todo porque me gusta la niña que fui, estoy satisfecha por la forma en que viví lo que me tocó vivir y la persona en la que me he convertido. Me gusta tal como soy y no puedo saber si en otras circunstancias sería así, como soy ahora.

A día de hoy, cuando apago la luz antes de dormir, siempre tengo un momento de reflexión y me encanta saber que me siento viva, que en lo que vivo y siento está presente mi corazón.

Tengo la sensación de tener mariposas de colores revoloteando dentro. Para mí eso significa ilusión, alegría, curiosidad, fuerza de espíritu y felicidad. Me es indistinto si un día estoy de mal humor, me duele la espalda o tengo cansados los pies. De noche, a solas conmigo misma, siento el cosquilleo de las mariposas de colores. He descubierto que para mí, lo primordial es la felicidad interior.

Ante los problemas soy un tanque de guerra de color rosa; ante la duda, recurro a los cuentos infantiles, buscando la sencillez a la respuesta. Sentimiento. Eso es para mí la vida, un sentimiento de felicidad.

No pretendo dar a entender que, después de mi terapia, todo ha sido un camino de rosas sin ningún disgusto o sin ninguna contrariedad porque sí los he tenido. En un par de ocasiones, he pasado por duros momentos en los que me he cuestionado muchas cosas, en los que me he sentido perdida. Pero recurrí a técnicas que aprendí durante la terapia y eso me ayudó mucho.

Hace unos meses a Salva, mi marido, le diagnosticaron dos enfermedades crónicas, una de ellas fibromialgia. No son enfermedades terminales, pero sí es complicado convivir en el día a día con ellas. Para él, que es el que las padece, y para mí, que soy la que le acompaña en el camino. Los dos nos cuestionamos muchas cosas, cambiamos nuestra forma de ver la vida y de entenderla. Por supuesto que también cambió nuestra forma de vivir. No quiero decir que para peor, pero sí a otro ritmo.

Al principio me quedé paralizada, porque no sabía qué debía hacer. Empecé por buscar la raíz del problema, centrarme únicamente en el obstáculo que me impedía avanzar, apartar las consecuencias que todo ello podría traernos para intentar ver la solución. Ha sido una dura prueba de la cual los dos hemos salido fortalecidos (seguimos en ello), valoramos más el presente y nos ha unido más si cabe.

Después de un tiempo de incertidumbre, he recuperado la calma, pero lo que nunca perdí fue la alegría por la vida, que es la que intento que él consiga encontrar.

Durante mi terapia aprendí a concentrarme en lo realmente importante y desechar lo negativo, como eran las ideas repetitivas, el pensar siempre en negativo. Antes siempre veía el vaso medio vacío, ahora lo veo medio lleno. Aprendí a sacar provecho de las malas experiencias. Si en algún momento sufro, no niego ese sentimiento, me permito sentirlo con naturalidad el tiempo que necesite para asumirlo (eso sí, sin victimismo) y después lo integro en mi vida como una experiencia más. Y eso es lo que he hecho.

Hubo un tiempo, después de la terapia, en el cual me sentía extraña por la calma que sentía dentro de mí, pero no sabía qué hacer con ella.

Una de las decisiones más valiosas que he tomado en los últimos años ha sido la de simplificar mi estilo de vida: la forma de hacer las cosas, la manera de plantearme las situaciones o los problemas que van surgiendo en el día a día. Decidí que mi mayor necesidad era disfrutar del momento. Siempre había estado viviendo con el pensamiento en el pasado y machacándome con el futuro; entonces, ¿dónde estaba mi presente? No tenía o, mejor dicho, no disfrutaba de él.

Una de mis aficiones siempre han sido los puzzles, así que si era capaz de ordenar tres mil piezas debía ser capaz de ordenar todas y cada una de las cosas que tenía dentro de mí que me ayudarían a ser feliz y desechar todo lo que no me fuese útil. Realmente no resultó tan complicado.

Siempre tuve la fuerte creencia de que me conocía interiormente muchísimo, que incluso ése era uno de mis problemas, el conocerme demasiado, recordar demasiado y entenderme demasiado.

Sí, me conocía interiormente pero no sabía utilizarlo para ningún bien, tenía muchísimos recuerdos pero más bien potenciaba los malos. Escuchaba lo que mi interior sentía y simplemente lo dejaba estar, no sabía qué hacer con tantos sentimientos. Sabía que mi vida había transcurrido de una determinada forma porque los abusos se cruzaron en mi camino y yo había sobrevivido a ellos, entendía que esa parte de mi vida estaba solucionada, aceptada, pero yo no tenía suficiente con haber sobrevivido a esa esclavitud, necesitaba verdadera alegría y saber cómo conseguirla estaba dentro de mí, así que debía averiguarlo.

Empecé a hacerme preguntas para descubrir qué me faltaba para ser realmente feliz. ¿Por qué tenía reservas con la gente? ¿Qué era lo que intentaba ocultar? ¿Por qué no era capaz de mostrarme tal cual era? Sólo tenía que responder con sinceridad, y lo primero que me vino a la mente fue una pregunta de mi agresor: «¿Sabes lo que ocurrirá si alguien se entera de lo que me haces, te imaginas si descubren la clase de persona que eres?».

Ahí estaba la clave, seguía mirándome a través de los ojos de otra persona. No pasaba nada, no tenía nada que ocultar, no había nada oscuro en mí. Nadie tenía por qué juzgarme porque no había nada que juzgar. La gente simplemente veía en mí lo que podía ver en cualquier otra persona, un ser humano más en el mundo, tan sencillo como eso. Así empecé y seguí con todo lo demás. Si a alguien de mi alrededor no le gustaba mi forma de pensar, no pasaba nada, después de todo nunca llueve a gusto de todo el mundo. No ocurría ninguna catástrofe porque mi marido y yo no pensáramos de la misma forma, o porque a mi madre no le gustara mi color de pelo, el tiempo no se pararía por ello. Simplemente cada uno es como es y piensa como le da la gana, yo no podía cambiar la forma de ser o de pensar de los demás ni tampoco tenía necesidad de ello.

Ahora cuando tomo una decisión lo hago desde la libertad, pensando qué será bueno para mí y mi familia. Si un trabajo me satisface o me hace feliz, lo acepto e intento realizarlo eficazmente y con alegría. No me importa demasiado que haya trabajos mejores, a mí me hace sentir bien lo que hago y, en el futuro, todo llegará. No me considero una persona simple, me considero sencilla, y aunque ha habido personas que se han aprovechado de mi buen hacer, yo, aunque con más cautela, sigo haciendo mi vida a mi manera, no quiero cambiarla. Aunque no vaya al compás del mundo no me importa, no me gusta sentirme estresada, no quiero ser egoísta, no entiendo la avaricia ni la codicia, todo ello no me reporta nada. Es más, cuando veo a alguien intentando ser algo que no es o conseguir algo a costa de otros, no lo comprendo, porque después de to-

do ni siquiera se sienten bien con ello ni consigo mismos, ¿de qué les sirve?

Este planteamiento puede parecer una fábula, pero al fin y al cabo ¿qué es lo que uno tiene verdaderamente? A uno mismo y es con eso con lo que puede contar. Por supuesto que tengo aspiraciones en muchos aspectos de mi vida y lucho por intentar conseguirlas y trabajo y me esfuerzo por y para ello, pero, mientras tanto, también sé disfrutar de lo que dispongo ahora.

Me gusta escuchar el sonido del río, contemplar el cielo estrellado, bañarme en el mar, disfruto jugando con mi hijo, soy inmensamente feliz cada vez que sale corriendo y me abraza diciéndome «mamita te quiero mucho» y no quepo en mí de gozo cuando cada día me regala docenas de besos sin pedírselos.

Un día la directora de su guardería me dijo que era una maravilla verlo al entrar y salir del colegio cantando casi todos los días, que se notaba que recibía mucha atención, que rebosaba felicidad y se veía el reflejo de lo que tenía en casa. Eso quedará para siempre en mi corazón.

Realmente no es difícil ser feliz, más bien nosotros lo complicamos.

Un día, hablando con una amiga sobre este libro, ésta me dijo:

—¿Sabes, Toñi? Creo que tienes el corazón de un niño y el espíritu de un guerrero.

Me sorprendió tanto que no supe qué decirle, pero me hizo sentir bien. Me gusta recordar aquellas palabras y las suelo tener muy presentes en mi día a día, no hay nada más bonito que disfrutar como lo hace un niño.

No hace mucho tiempo leí que la vida de las personas sólo puede entenderse mirando hacia atrás, pero hay que vivirla mirando hacia adelante.

Me costó horrores convencer a la niña que fui de que no era culpable de nada, que en aquel entonces no existía la opción de elegir entre quedarse allí con él o marcharse a casa. Ésa no era una relación que yo había elegido, sino que me fue impuesta por ese ladrón. Ése que me robó mi infancia salvajemente sin importarle mi fragilidad ni mi inocencia o mi dolor. Estaba obligada a volver a pasar por sus manos una y otra vez. Por eso aquella niña que fui se quedó atrapada dentro de mí, porque la infancia que debió vivir con inocencia no fue vivida como tal, así que después, en la vida de adulta, sentía un gran vacío, tenía la impresión de tener siempre algo pendiente. Y no era otra cosa que la niñez que me quedó por vivir. Yo quería recuperarla a toda costa porque era mía, tenía la necesidad de borrar parte de mi existencia y volver a vivir una infancia sin abusos. Un imposible. Siempre pensé que fui yo quien le permitió todas aquellas cosas que me hacía —de eso se encargaba él muy bien—. Estaba totalmente convencida de que si yo no hubiese querido, los abusos no se habrían producido. Hasta casi los 23 años no tuve la absoluta convicción de ser yo la inocente y él el culpable.

Una de las cosas que realmente me hicieron comprenderlo fue el nacimiento de mi sobrina. Uno de los regalos más bonitos que me ha dado la vida fue enterarme de que iba a ser tía por primera vez. Aquello me puso eufórica, a todas horas observaba a mi hermana, le tocaba la barriguita, le hablaba al bebé que llevaba dentro o pasaba horas pensando cómo sería. Deseaba conocer a aquella personita que iba a nacer, que llevaría mi misma sangre. Me llenaba de alegría y me hacía sentir un torrente de emociones desconocidas, imposibles de explicar. Durante aquellos nueve meses me refugié en aquella criatura nonata que con el hecho de venir al mundo me renovaba las ganas de vivir.

La noche que nació fue uno de los momentos más importantes de mi vida. Las horas previas a su nacimiento se me hicieron eternas, estaba ansiosa por ver a aquella niña que estaba cambiando algo dentro de mí.

Alba siempre será «la niña de mis ojos» porque desde la primera vez que la tuve en mis brazos, a las pocas horas de nacer, pensé que el corazón me iba a estallar de emoción, me sentía desbordada de felicidad y le di las gracias por venir al mundo. La necesitaba, era mi fuente de energía. Esa noche lloré de emoción al sentir que con ella había vuelto a la vida. La visitaba tan a menudo como me era posible, porque junto a ella me sentía vital. Y viéndola crecer me cercioré de que un niño jamás puede ser responsable de actos como los que mi agresor me imponía y de los cuales me culpaba.

Muchas veces, cuando la miraba, me recordaba tanto a mí misma, con sus grandes ojos curiosos, juguetona y de fuerte carácter. Un niño nunca provoca esa clase de situaciones.

El detonante de mi depresión fue la muerte de mi padre cuando yo tenía 12 años.

En 1988 mis padres decidieron que nos trasladaríamos a otro piso un poco más grande y que estuviese en otra zona. El barrio donde vivíamos había cambiado mucho y ya no era agradable. Empaquetamos todas nuestras pertenencias mientras se iban haciendo algunos arreglos en nuestro nuevo hogar, buscaron un comprador para el piso antiguo y en poco tiempo hicimos la mudanza. Como era de esperar, para todos fueron unos días de bastante euforia; estábamos muy contentos porque teníamos un lugar nuevo donde vivir.

Yo, ni que contar. Aunque me asustaba bastante tener que irme a vivir a otro sitio distinto, dejar atrás a la gente con la que siempre había convivido, enfrentarme a lo desconocido y, sobre todo, saber qué pasaría conmigo. Suponía que estaría mejor porque toda esta historia de abusos quedaría atrás, ya que mi agresor hacía mucho tiempo que andaba a duras penas y lo más lejos que llegaba era alrededor de su edificio. Para mí el cambio de domicilio fue una grata sorpresa, pero también un momento de confusión.

Desde hacía unos meses el contacto con mi agresor se había reducido considerablemente. Yo me iba haciendo grande y ya no se lo ponía fácil. Cuando pasaba por su puerta corría como alma que lleva el diablo para que no le diese tiempo a alcanzarme. Al llegar al segundo piso intacta saltaba de alegría igual que si hubiese ganado un premio. Una victoria para mí. Las veces que me alcanzaba, que todavía eran algunas, empecé a ser contestona. Siempre respondía con un «no» a todas sus demandas, le daba manotazos, empujones, pero, aunque él estaba enfermo, seguía siendo más fuerte que yo. Me ponía a llorar. Los últimos días lloraba desconsoladamente y sólo decía: «Para, para». Hicimos la mudanza y cambié de vida, pero no precisamente a mejor. Eso fue el principio del fin.

Mi agresor siempre me pedía silencio, nunca le dije a nadie nada de los abusos. Todo debería de haber ido bien. Sentí que algo había fallado, yo había cumplido mi palabra, lo había mantenido todo en secreto, pero aun así mi padre murió. Con 12 años, una mala experiencia y el hecho de que no volvería a ver a mi padre, mi mundo pasó a ser un tremendísimo caos. Llegó el aislamiento, la confusión de sentimientos, las manías, los cambios bruscos de humor, pasar de la alegría al llanto y del llanto a la alegría con la misma rapidez que bota una pelota, cambiar del sí al no en un segundo, desilusiones, una detrás de otra; en fin, un torrente de sentimientos contradictorios en un corazoncito de 12 años. Todo había empezado a dejar de tener sentido, de ser coherente, racional, bonito. Era una locura. Estaba furiosa con el mundo entero, yo no pintaba nada allí, sentía que sobraba, que no tenía nada más que hacer con mi vida. Entonces descubrí las autolesiones. Cuando sentía una punzada de dolor por la basura que había vivido, me arañaba; si recordaba a mi agresor, me daba pellizcos hasta ponerme la piel morada, y si tenía un flashback *me daba bofetadas hasta que me ardía la cara.*

Esto comenzó a ser una rutina. Hacerme daño físico era mi manera de paliar el dolor que sentía dentro. Realmente no podría asegurar que sintiera el dolor que yo misma me provocaba. Muchas veces era algo inconsciente, estaba viendo la tele y cuando me daba cuenta me estaba arañando las piernas de tal manera que me estaba haciendo sangre. Yo no había querido empezar a hacerlo, pero no paraba al darme cuenta, seguía y seguía hasta que consideraba que se me curarían sin dejarme marcas. Cuando un día me paré a pensar realmente en lo que estaba haciendo no me planteé dejarlo, no, qué va; lo que hice fue empezar a despreciarme por ello. Cuanto más daño me hacía, más me despreciaba y cuanto más me despreciaba, más daño me hacía, lo cual se convirtió en un círculo vicioso.

Cuando me sentía mal me iba a mi habitación a hacerme daño. Después me sentía fatal, me hinchaba a llorar y cuando estaba tan cansada que ya no podía más y me había desahogado un poco, me quedaba dormida o salía al comedor como si no hubiese pasado nada. En casa, como ya estaban acostumbrados a verme llorar por mi padre, lo seguían achacando a eso. Claro, ¿qué iban a pensar? Todo esto se repetía cada vez con más frecuencia, yo lo sentía con más fuerza y respondía con más dolor. Un día me miré al espejo y vi a una persona horrible que hacía cosas horribles, y entonces empecé a despreciarme por todo en general.

Cada vez que me miraba en un espejo me decía palabras horribles, me insultaba, me pegaba. No sé, es un poco difícil de explicar, pero era una especie de desahogo a tantas sensaciones y sentimientos de dolor. Para mí aquello era una vía de escape, una forma de exteriorizar tanto sufrimiento. Una forma mal enfocada, claro está; aquello no era ni mucho menos una solución, pero entonces no tenía otra cosa, no conocía otra salida.

Me había repetido tantas veces lo repugnante que era que llegó un momento en que me lo acabé creyendo. Tanto que sólo podía haber para mí una solución, morirme. Muchas veces he escuchado que tomar como salida el suicidio es de cobardes pero, en aquellos momentos, que alguien me lo explicara, ¡qué cobarde ni que ocho cuartos! Ni siquiera me importaba, sólo pensaba en lo que sentía, en lo que estaba viviendo y en el tipo de persona horrible en el que me estaba convirtiendo por hacerme todas esas cosas.

Ya sé que es difícil encontrarle un sentido, pero es que no lo tenía, yo no tenía sentido de la orientación. Claro que no era lógico que contestara al dolor con más dolor, ni que me torturara de aquella manera, pero se me terminaban las ideas, mi jardín secreto, mi maravillosa vida inventada en las montañas rodeada de flores ya no funcionaba, ya no era capaz de engañarme yo misma con La casa de la pradera.

Y así fue como empecé a pensar en el suicidio constantemente. Desear la muerte no era suficiente, así que tendría que encontrar otra solución. Tenía que pensar en la forma de morir, pero tenía que ser de una forma rápida y sin dolor porque, después de todo, me aterrorizaba pensar que durante ese momento también tendría que sufrir. Yo deseaba que fuera algo tranquilo y sin dolor. Todo aquello no resultó tan fácil como esperaba, los días se sucedían y yo no era capaz de nada, así que continuaba con mi autocastigo.

Cuando pienso en ello ahora, en la distancia, ¡me parece tan sorprendente! ¿Cómo era posible que me odiara tanto y me provocara tanto daño y a la par estuviera siempre dispuesta a apoyar y consolar a cualquier persona de mi alrededor? ¿Cómo me podía sentir tan mal cuando alguien a mi alrededor sufría, dándole mil y una vueltas a las cosas para intentar ayudar a los demás y yo, en cambio, no era capaz de calmar mi dolor?

Una vez Ángela me dijo que quizás entonces yo no estaba preparada para buscar una solución, quizá no era mi momento o no había encontrado los recursos adecuados. Mi vida discurría tras una fachada de absoluta tranquilidad y naturalidad.

A algunas personas de mi alrededor, después de enterarse de lo que me ocurría, les costó creer que durante tanto tiempo hubiese sido capaz de esconder esa clase de sentimientos con la mayor naturalidad. Claro que ellos no me veían en mis ratos a solas.

Poco antes de cumplir los 16 años, Noemí, una amiga del colegio, me comentó que cerca de su casa había una tienda en la cual necesitaban una dependienta. Me presenté pensando que si me contrataban allí tendría fiesta el domingo en vez del lunes, como tenía en mi anterior trabajo. Mi amiga Noemí conocía a la dueña y sabía que buscaba una persona de confianza. Me acompañó a la tienda y Rosa, la propietaria, me hizo una pequeña entrevista. Rosa es una de las personas importantes que han pasado por mi vida, desde el primer momento congeniamos bien, trabajé con ella dos años y le tomé mucho cariño. Era de la misma edad que mi madre, también tenía tres hijos y los tres con familia.

La primera impresión que me formé de ella fue la de una señora seria y de mucha rectitud, pero al poco tiempo vi que era simpá-

tica y muy amable. Eso sí, tenía un carácter fuerte y mucho valor frente a la vida. Aquello me gustó. Ella me enseñó algunas cosas respecto al trabajo: cómo tratar con la gente, ser amable con ellos, interesarte por sus cosas sin ser entrometida, haciendo que se sintieran cómodos y encontraran un lugar agradable al que volver. También me enseñó algunas formas de reaccionar frente a la vida. Por supuesto, ella no sabía nada de mi historia de abusos. Durante la mañana solían venir señoras de su edad, conocidas suyas. A veces venían más bien por charlar un rato, contarte sus historias o algo que les había sucedido, compraban alguna cosa y se marchaban a casa. Nosotras simplemente las escuchábamos, les hacíamos un comentario alentador y ellas o ellos se marchaban a gusto.

Rosa me decía: «¿Ves lo que quiere a veces la gente?». Ella se sentía bien actuando de ese modo, las personas le tenían aprecio. A mí me seguía sorprendiendo cómo los demás, sin apenas conocerme, empezaban a tratarme como a ella, me contaban sus cosas, se sinceraban conmigo. Esos momentos me hacían sentir bien, el contacto con los demás, su cordialidad conmigo, la amistad que algunos me brindaban. Me hacían sentirme querida. Rosa también me contó su vida como en fascículos. Un día a partir de un comentario me contaba un trozo, otro día porque le apetecía me contaba otra parte de la historia.

Aquellos momentos eran los mejores, porque muchos días nos hartábamos de reír por su forma de explicar las cosas. También entablé amistad con Jordi y Pili —su hijo y su nuera—, que trabajaban en otra tienda también propiedad de Rosi. Muchas veces salía con ellos y con su grupo de amigos. Eran un poco mayores que yo, pero congeniamos bien. Un tiempo después conocí a un chico y empecé una relación con él. Yo, como ya sabía que no sería capaz de confiar plenamente —esa sensación no era nueva para mí—, pensé que aquello sería pasajero. Sin embargo, duró más de lo que esperaba, casi un año. Intenté por todos los medios que me dejara cuando empecé a sentirme incómoda. Al final tuve que ser yo la que le dijese que todo había terminado. Me costaba mucho decirle a la gente que no, tanto en este como en cualquier otro tema; para mí siempre fueron primero los demás y después yo.

Aquel cambio de trabajo, conocer gente nueva, me fue muy bien durante un tiempo, pero, como siempre, todo aquello terminó, ¿por qué? No sabría decirlo, pero lo que sí sé es que empecé a sentirme mal y volví a castigarme. Empecé a darme excusas que justificaran aquellos malos tratos a mí misma: que sólo sabía equivocarme, que no hacía bien las cosas, que permitía que la gente jugara conmigo. Ahora las razones eran otras, no los abusos, pensando que de esa forma serían más fáciles de tolerar. Pero no lo fueron.

Empecé a pensar que nunca un chico podría llegar a quererme porque yo no era una chica normal. Tenía aquellos altibajos tan fuertes y tanto malestar dentro de mí que, si descubrían qué era lo que yo me hacía, saldrían huyendo y siempre estaría sola.

Y ¿quién quiere estar solo en el mundo? Aunque, bien pensado, ¿quién quiere vivir de la manera en que yo lo estaba haciendo? Un viernes por la noche, que estaba sola en casa, me duché, cogí una cuchilla e intenté cortarme y terminar. Lo hice, me corté seis veces sin saber si aquello sería suficiente. Psíquicamente, para mí, sí lo fue, porque además del dolor físico, llegué a pensar y sentir tantas cosas en tan poco tiempo que fue agotador a más no poder. Cuando vi que sangraba me metí en la cama. Recuerdo que aquella noche cuando me acosté no sentía más que un tremendo vacío en mi interior, me quedé relajada y con la sensación de que por fin iba a descansar. Me dormí mientras lloraba, de puro agotamiento, no sólo por las lágrimas de esa noche, sino por todas las que ya había derramado durante tantos años.

No me importó, no quise pensar en lo que dejaba atrás, solamente sentía que por fin había sido capaz de hacer lo que tantas y tantas veces deseé, ponerle un pronto final a mi vida. Estaba cansada de imaginarme una vida feliz, de soñar que todo cambiaría, que yo mejoraría y dejaría de tener pesadillas durmiendo o despierta. Lo cierto es que no le veía un fin a tanta zozobra.

A la mañana siguiente me desperté muy temprano, cansada, muy cansada y con las sábanas pegadas a las muñecas. Notaba calambres al mover las manos, me dolía todo el cuerpo y me sentía desesperanzada porque debía continuar con aquella birria de vida. Antes de marcharme a trabajar tuve tiempo suficiente de cambiar las sábanas, poner una lavadora y vendarme las muñecas. Lo arreglé todo con una sensación de frustración impresionante porque no había sido capaz de terminar con todo de una vez. Lo mejor era esconder todo el estropicio para no tener que dar explicaciones. Si alguien preguntaba por las vendas diría simplemente que tenía las muñecas abiertas y sentía mucho dolor; vamos, después de todo, era cierto.

Como era invierno y llevaba manga larga mi madre tardó unos días en darse cuenta de que llevaba las muñecas tapadas. Se extrañó bastante y le dije con cara de dolor: «¡Ay!, mamá, el otro día estuve subiendo cajas al almacén yo sola y pesaban tanto que acabé con calambres en las muñecas, pero me puse una venda bien fuerte y parece que se me pasa». Suerte que mi hermano estaba cerca —él muchas veces tenía las muñecas abiertas por el esfuerzo en el trabajo— y dijo que sí, que duele un montón y que si te las vendas un poco fuerte el dolor pasa en poco tiempo.

Durante algunos días me sentí bastante mal por los calambres que aquello me provocaba. Aunque era llevadero. Lo que sí duró más tiempo fue el pensamiento repetitivo dentro de mi cabeza sobre lo que había hecho, cómo había llegado a ese extremo, qué solución tenía, qué otras vías de escape había.

Este episodio acentuó los miedos, las manías y la idea recurrente de que morir era la única solución para tanto desastre. Primero tendría que reponerme y después ya pensaría en algo. Hoy en día aún se notan un poco las marcas, unas pequeñas cicatrices blancas que creo que ya no se marcharán nunca. Tampoco me preocupa demasiado. Sé que pertenecen a mi pasado, que están y siempre estarán conmigo. Además, alguna vez también las utilizo, las tengo de pequeño recurso. Cuando algo me agobia y, por casualidad, me miro las manos, pienso que en aquel entonces las cosas sí que iban mal y veo lo divinamente que estoy ahora. Entonces se me pasa todo y sigo adelante.

Durante la terapia, Ángela me propuso hacer varios ejercicios. Recuerdo uno que hice junto con mi madre que consistía en completar las frases: «Yo quiero...», «Yo siento...», «Yo puedo...», para que pudiésemos entendernos un poco la una a la otra. Tiempo después he vuelto a utilizarlo. En varias ocasiones, cuando he necesitado clarificar o reafirmar una decisión, lo he empleado. A mí me resulta muy útil cuando a veces me siento abrumada y no consigo ver los hechos con claridad: pongo mis pensamientos por escrito y en vez de darle vueltas en la cabeza a una misma idea me ciño a lo escrito e intento ver las cosas desde la sencillez más absoluta, con la prioridad de lo que quiero hacer y que ello me haga sentir bien. Muchas veces pienso en lo importante que parece ser para todos, qué pensará la gente de nosotros o de lo que hacemos y muchísimas veces me pregunto si eso es de verdad necesario o sólo debería preguntarme: «¿Qué pienso yo de mí y de lo que hago?».

En el pasado, me preocupaba tanto lo que pensarían los demás si llegaran a enterarse de lo que me había ocurrido y la trascendencia de todo aquello, que no me daba cuenta de que lo verdaderamente importante era la repercusión que había tenido en mí y en mi vida. Lo fundamental era recuperar una vida que apenas había empezado a vivir sin darle mayor importancia a la opinión que los demás tuviesen al respecto.

En el presente ha surgido el tema de los abusos a niños en alguna ocasión, con los amigos, y he sido capaz de opinar sobre ello desde la distancia que me permite no sufrir por haberlos vivido. Aunque he de reconocer que me pone muy furiosa saber que hay niños que siguen pasando por ello.

El hecho de poder explicar por escrito algunos de los momentos vividos me resultó más fácil y creo que fue clarificador para mí, porque me permitió entender algunas dudas que tenía, al poderlo leer más tarde. Así fue como descubrí de dónde provenía mi ani-

madversión por el color naranja. En casa de mi agresor, había colgado un cuadro donde predominaba ese color.

Otro de los trabajos que hice durante la terapia fue escribir «Algo por lo que merece la pena vivir...», aunque yo lo he modificado por «Algo por lo que merece la pena vivir alegre». Ésta es mi manera de ver claramente las cosas positivas que tengo en mi vida. He repetido este ejercicio en un par de ocasiones y he escrito unas listas tremendas. Cuando pienso en la cuantía de cosas que me gustaría hacer, me consuelo pensando que por falta de tiempo tendré que postergar algunas de ellas para cuando coja la jubilación. La verdad es que no me importa, porque así tendré una jubilación asegurada libre de aburrimiento.

Algunas veces me sorprenden las casualidades de la vida. Cuando mi marido y yo nos conocimos empezamos una relación preciosa. Procurábamos pasar juntos todo el tiempo posible, estábamos horas y horas hablando, besándonos, parecía que se nos terminaba el mundo.

Todo iba de maravilla. Llevábamos seis meses de relación, todo era color de rosa y, casualidades de la vida... Un mediodía quedamos para tomar un café antes de entrar a trabajar; me dijo que tenía que contarme una cosa que lo tenía un tanto preocupado. Una persona a la cual tenía en gran estima estaba pasando por un mal momento, una fuerte depresión por haber sufrido abusos sexuales en la infancia. Me explicó la historia, me explicó cómo se sentía él, lo que opinaba de todo aquello, se desahogó contándome todo lo que esa situación había supuesto para él y la de cosas que se le habían movido por dentro al enterarse de todo aquello.

Sin mediar palabra, sin pestañear, como pude, escuché la historia de principio a fin, sintiendo que mi vida se venía abajo, que estar allí escuchándolo, escuchando tantas cosas que desafortunadamente tan bien conocía, me estaba destrozando. Verlo allí sentado frente a mí, tan triste y contándome con tanta dulzura un relato tan feroz, me hundió por completo.

Fue una situación terrible. Me empezó a doler todo el cuerpo, la historia de mi vida empezó a dar vueltas y vueltas sin parar dentro de mi cabeza. Evoqué muchas sensaciones que habían estado dormidas dentro de mí, despertó un sentimiento horrible que hasta ese momento yo había sido capaz de controlar.

No podía más, debía marcharme de allí o perdería el norte, no podía asimilar ni una palabra más. Le comenté que si le parecía bien que quedáramos en otro momento, que aquella historia me había afectado más de la cuenta, que tenía algo urgente que hacer y debía marcharme.

Llegó el desastre total, aquello que yo sabía que algún día sucedería, aquello que yo más temía. Sin embargo, no esperaba que viniera en forma de tifón y arrasara en un momento todo mi mundo desgarrándome el alma. En mis emociones había sido inestable, mis sentimientos habían sido un desastre siempre, durante mis 19 años de vida había sido rara, pero por lo menos hasta ese momento había sido capaz de controlarme. A partir de entonces nada fue igual, ni yo, ni nuestra relación, ni él.

Por la noche, cuando nos vimos, me encontró rara; al día siguiente nos volvimos a ver y me repitió lo mismo, que estaba diferente. Pasamos así tres días, hasta que al final me empezó a decir que aquello no era normal y que debía contarle qué era lo que ocurría.

Durante esos días yo había estado pensando en ese cambio. Deseaba explicarle lo que sucedía pero me resultaba muy difícil. No sabía cómo resumir todo lo que me ocurría ni explicarlo sin que pareciera que estaba loca. Además, estaba segura de que a la mitad del relato él ya habría desaparecido y eso sí me dolía en el alma.

Bueno, pues esa noche me resultó fácil explicárselo —dentro de lo que cabe—. Escuchó todo lo que yo le conté sin asustarse y después me abrazó. Todavía hoy continúa a mi lado. Le expliqué todo lo importante: que ya no sabía qué era lo que debía hacer, que no era capaz de controlar todo aquel torrente de sentimientos ni sabía qué iba a pasar con mi vida. Él solamente me abrazó y me dijo que no me preocupara, que todo aquello lo solucionaríamos juntos, que saldríamos adelante, que entre los dos lo arreglaríamos todo.

Me propuso que, si me apetecía, sería bueno que se lo contara a mi madre, que ella quizá podría ayudarme mejor en ese momento en que necesitaba mucho apoyo y que tenía derecho a saber lo que me estaba pasando. Eso sí que fue más difícil. ¿Quién era la lista que tenía el valor de plantarse delante de su madre y contarle una cosa como aquélla? Como nunca encontraba el valor suficiente para decirle todo lo que me estaba pasando, se me ocurrió escribirle una carta, ponérsela en el bolso por la noche y así, cuando llegase al trabajo y fuese a coger las llaves de la taquilla, se encontraría la nota y el primer paso, el más difícil, ya estaría dado. No sé si fue la mejor manera, pero fue la única que encontré. Después ella se lo contó a mis hermanos.

Aquél fue un momento duro, porque es muy difícil explicar a tu madre un suceso como éste. A mí, ahora, desde mi punto de vista como madre, me parece terrible.

Cuando me quedé embarazada y después cuando fui madre, pensé que igual que cualquier niño puede estar en riesgo de sufrir abusos, el mío también. Pero no era posible vivir con ese tipo de pensamiento. Soy consciente de que el peligro está ahí, que por mucho que yo quiera no puedo protegerle las veinticuatro horas del día, ni que tampoco puedo meterlo en una burbuja de cristal. Ahora tiene 3 años y siempre he intentado mantener con él una relación abierta y de absoluta confianza para intentar que si en algún momento le sucede algo que no es de su agrado me lo diga, que sepa que yo siempre voy a estar ahí para él, para cualquier cosa que necesite. Me intereso por las cosas que hace cada día en el colegio, intento que entienda a su corta edad que una persona debe ser libre para hacer aquello que le haga feliz. Intento evitar situaciones que puedan ser de riesgo, pero no puedo privarle de su vida. Procuro mantener apartada de mi mente la sobreprotección para que él no crea que está en un mundo cruel, porque no sería justo. Trato de que viva feliz, que sea optimista, extrovertido, alegre y justo, consigo mismo y también con los demás. Espero saber enseñarle que lo mejor de la vida es lo que uno pueda encontrar dentro de sí mismo y tenga la capacidad de compartirlo con los demás. Que aprenda lo importante que es cuidarse interiormente y llegue a convertirse en un hombre noble y valiente. Creo que en estos tres años como mamá he aprobado. Algo nada fácil.

Me siento una persona afortunada por varios motivos. Uno de ellos es poder vivir la experiencia de ser mamá. Una de las pocas cosas que siempre tuve muy claras fue que jamás me plantearía traer a una persona al mundo sintiéndome como me sentía, porque sabía que no estaba capacitada para ello.

Otro de los motivos es que soy consciente de que muchas personas que han sufrido abusos no han conseguido superarlo y llevan arrastrando el problema a lo largo de su vida. A algunas de ellas las he conocido personalmente y me duele porque yo he comprobado que existe la felicidad después de los abusos, que sí es posible sobreponerte a todo ello y tener una calidad de vida excelente. Pero entiendo que cada uno ha de vivir su vida, que cada cual lo hace lo mejor que puede y con los recursos que tiene.

Cuando comencé mi terapia con Ángela, en la tercera visita concretamente, ocurrió algo que me sorprendió bastante: Ángela me había escrito una carta. En aquel momento ese detalle, esa molestia que ella se había tomado escribiéndola, fue un aliciente para seguir adelante, para confiar en lo que estaba haciendo y, por supuesto, confiar en ella. Fue un momento muy especial para mí, muy bonito por su parte (la puedes encontrar en las págs. 185-186).

Desde ese momento tuve la sensación de que ella sería capaz de ayudarme a salir de la situación en la que me encontraba y que debía tener confianza. Empecé a ver que se preocupaba por mí, que ella ponía todo de su parte para ayudarme y la verdad es que aquello me sorprendió, porque me transmitía calor humano, comprensión y apoyo. Después de unas cuantas sesiones me di cuenta de a qué se refería cuando me dijo que ella sola no podía solucionarme el problema, sino que debía ser yo, con mi trabajo en terapia, la que debía hacerlo y que ella me ayudaría.

Todo lo ocurrido durante los abusos sexuales y emocionales a los que mi agresor me sometía me convirtió en la vida adulta en una persona llena de miedos, de complejos, de inseguridades. Me quedé atrapada en un círculo de conductas y emociones fuera de mi control que me repercutieron a lo largo de toda mi vida. Lo mismo estaba muy contenta que al minuto siguiente me pasaba horas llorando, igual estaba convencida de ser feliz que me volvía loca pensando que no era una persona normal, que algo ocurría en mi cabeza y yo no era capaz de controlar. Yo misma me preguntaba asiduamente: «¿Cómo debería ser? ¿Cómo debería comportarme? ¿Qué debería pensar si fuese una persona normal? ¿Cómo siente una persona con una vida corriente?». Durante mucho tiempo mi mente sólo se ocupaba de pensar en estas cosas. A veces estaba trabajando y no hacía más que darle vueltas a cómo vivirían mis compañeros de trabajo, qué pasaría por sus cabezas, en qué pensarían normalmente o cómo se sentirían. No sabía si el estado de angustia en el que yo vivía y tanto me esforzaba en ocultar era normal y los demás también lo hacían o es que yo era un bicho raro.

He de ser sincera. Tengo que decir que durante la terapia sufrí por todo lo que estaba experimentando, por recordar cosas que hasta ese momento tenía aparcadas en algún lugar dentro de mí, porque aquello no resultaba fácil de arreglar, pero yo misma había empezado a recorrer un camino que ya no tenía marcha atrás.

A veces me consolaba pensando que todo lo que empieza debe acabar, que todo aquel sufrimiento no podría ser constante, era imposible que ese infierno no tuviese fin. Fue muy doloroso ser consciente de que era una persona adulta pero volvía a tener los sentimientos de cuando era una niña de 6 o 7 años, sentía un miedo infantil y necesitaba acostarme por la noche con mi mamá como lo había necesitado cuando era pequeña. Sentía la urgencia de estar constantemente cerca de ella, como un bebé que se siente perdido si no se encuentra al calor de su madre. Fueron duros aquellos sen-

timientos tan extraños, era comparable a las sensaciones que tenía durante los abusos, vivía en un cuerpo de niña y me sentía obligada a mantener un comportamiento de mujer adulta.

Me resultaba especialmente difícil la hora del aseo. Al ducharme ponía excesivo cuidado en no tocarme ni un centímetro con mis propias manos, cogía la esponja y me frotaba sin ni siquiera rozarme, tan fuerte que me causaba daño para apartar de mí la sensación de asco que me producía mi propio cuerpo. A causa de él había sufrido demasiado. Éste fue uno de los temas que resolvimos en terapia. Empecé por ducharme como lo hacía habitualmente, con la excepción de que un día me lavaba un brazo directamente con la mano, sin utilizar la esponja, otro día los dos brazos, y así sucesivamente, hasta completar el cuerpo entero. Después llegué a conseguir aplicarme crema para después del baño por toda la piel sin sentir asco por ello ni odiarme por haber rozado mi propia piel.

Llegó el momento de hablar sobre los abusos en terapia. Ángela me dejó claro que no era necesario explicar textualmente qué fue lo que ocurrió, sino más bien cómo me sentía yo y qué pensaba sobre aquello. Hablamos sobre mis sentimientos y yo tuve la necesidad de explicarle cómo ocurrían, aunque fuese una pequeña parte. Volví a recurrir a la escritura. Tenía que compartir con alguien el por qué de mi dolor, de dónde procedían tantas ideas extrañas, tantas obsesiones y tanta confusión. Había tantas cosas dentro de mí por arreglar, fue una terapia larga, más de cincuenta sesiones durante veintitrés meses —que por supuesto valieron la pena—. Entre las dos empezamos a reconstruir un puzzle con todas las piezas de mi vida.

Supongo que había llegado mi momento. Después de haber tocado fondo, de llevar a cabo lo que yo pensaba que era mi única salida y volver a darme de bruces con un enorme error, comprendí que el siguiente paso era cambiar la forma de enfocar la vida y los problemas. La diferencia creo que estaba en que antes hacía terapia intentando lograr un imposible: olvidar toda mi historia de abusos para poder empezar una nueva vida. Después de rozar el límite empecé a pensar que la terapia debía hacerla por necesidad, la necesidad de vivir, de dejar de martirizarme y sacar al exterior a la persona que siempre había deseado ser, que vivía dentro de mí, y disfrutar del mundo. Tenía una vida sin usar, una vida sin vivir y era yo misma la que debía elegir entre seguir a oscuras para siempre o fabricarme un Sol para mí e intentar que mantuviera su intensidad en calor y color a lo largo de mi existencia. Todo aquello me venía muy grande, era demasiado duro poner cada cosa en su lugar e ir arreglando todo mi mundo —que estaba patas arriba—. Yo nunca he sido una persona constante, no soy capaz de seguir una disciplina a rajatabla y aquello lo requería, pero sí que soy muy cabezota y eso me sirvió. Claro que también di algún paso hacia atrás, sería estúpido por mi parte no reconocerlo, pero en el largo camino que llegué a recorrer algún tropiezo o caída era lógico que sucediese, porque no era ningún camino de rosas.

Recordaba muchas veces la cara de mi agresor y me odiaba por ello. Revivía demasiados momentos de los que había pasado con ese salvaje y volví a sentirme sucia, culpable y avergonzada por algo de lo cual yo era inocente.

Creo que ésa fue la palabra clave, INOCENTE, la que me hizo recapacitar. Después de darle muchas vueltas terminé por comprenderlo. Yo no era culpable de todo lo que me ocurrió, yo era la víctima y él un criminal. Toda la vida me había sentido culpable de permitirle utilizarme de aquel modo, realmente creía que había sido culpa mía que me pasase todo aquello porque él me pedía que fuese a su casa y yo iba, una y otra vez.

Fueron pasando las semanas casi sin darme cuenta de que, poco a poco, había empezado a organizar mi vida, a desenmarañar todos los problemas e inseguridades que me habían acarreado los abusos y comencé a afrontar todo lo que me asustaba. Logré reconciliarme con mi pasado. Dejé de ser prisionera de mis recuerdos y di paso a una nueva vida en libertad, permitiéndome sentir sin odiarme.

A principios de 1999, Salva y yo empezamos a plantearnos la posibilidad de irnos a vivir juntos. Mi recuperación era casi total, es-

taba llegando al final de la terapia y me parecía estar preparada para dar un paso más en nuestra relación. Nos hacía mucha ilusión tener nuestro propio espacio, un lugar especial donde compartir nuestros sentimientos, deseábamos empezar a convivir juntos.

Salva, además de mi pareja, siempre ha sido mi mejor amigo, confidente, compañero y un pilar fundamental en mi recuperación. En el mes de mayo nos fuimos a vivir juntos llenos de ilusión por comenzar una vida en común.

Intentaba enfocar mi vida de la forma más positiva posible, pero me faltaba soltura, necesitaba relajarme y compartir con la gente de mi alrededor mis sentimientos. Llevaba un par de meses viviendo con Salva y lo cierto es que me desenvolvía bastante bien en esa nueva etapa de mi vida. El cambio en mí ya era notable, pero yo sabía que no era del todo estable. Continuaba mi terapia con Ángela y a pesar de que la parte más dura estaba hecha, quedaba por matizar algún que otro problema. El último tema pendiente era mi reserva con respecto al sexo. Mi talón de Aquiles. Me seguía angustiando durante las relaciones sexuales. No me sentía cómoda, tenía la sensación de que estaban invadiendo mi espacio, me sentía insegura, apagada, nerviosa y a veces veía la cara de mi agresor al cerrar los ojos.

Salva y yo hicimos unas cuantas sesiones de terapia de pareja para derribar la barrera que yo había creado entre nosotros. Fue entonces cuando descubrí que él tenía miedo de hacerme daño. Tenía dificultad para asimilar todo lo que a mí me había sucedido, se sentía intimidado por la experiencia que yo había vivido. No sabía cómo tratarme o qué podía decirme para que yo no me sintiera incómoda en ciertas situaciones. En el momento en que yo empecé a relajarme y a disfrutar de las situaciones, él también pudo hacerlo. Yo comencé a sentirme segura, sin miedos ni reservas y se lo hice saber. Para nosotros la comunicación ha sido la base de nuestra relación. Quizás ésa ha sido la clave por la cual, después de haber pasado por tantos momentos difíciles, seguimos unidos. Y por supuesto el amor. Vamos a cumplir nuestro décimo aniversario juntos y en casi todo momento y, sobre todo en los más duros, los dos hemos sentido que estábamos unidos por un fuerte lazo de amor. Aunque pienso que es posible mejorar la relación.

Reconozco que soy un tanto brusca y me gustaría ser un poco más dulce, que no siempre soy tan cariñosa como quisiera ser y me confieso rencorosa, un sentimiento que a veces ha llegado a dañarme. Por eso sigo trabajando, para limar todas aquellas cosas que no me gustan demasiado. Me gusta aprender a crecer, a mejorar como ser humano. Espero no volver a necesitar hacer una terapia, pero, si en algún momento la preciso, no dudaré en volver a buscar ayuda.

Soy consciente de que sólo tengo una vida y quiero vivirla en toda su plenitud, sintiéndome a gusto conmigo misma. Pienso que la vida es una aventura y que las aventuras están para disfrutarlas lo máximo posible, con valentía, con alegría y sentido del humor. Hay que saber disfrutar del presente, porque es lo más cercano que tenemos. Últimamente me he dado cuenta de que cuando los problemas me ponen triste, me aburro. Porque hablo menos, sonrío menos, me aparto un poco de la gente y se me hace insoportable. Yo necesito hablar, sonreír, sentirme activa, soy como un río que fluye, necesito alegría, me encanta soñar despierta, hacer proyectos, manualidades, me entusiasma leer, porque me permite en mi imaginación viajar a lugares desconocidos y conocer otras culturas, me gusta cocinar. Disfruto con cualquier cosa que me haga sentir vital y me haga reír. Necesito vivir con el corazón. Pero ante todo adoro aprender a ser mamá. Y deseo que todas las personas que hayan pasado por una experiencia como la mía o similar puedan encontrar el mejor camino hacia la felicidad.

3

Una vida, un alma: fragmentos de una psicoterapia

El texto de este capítulo está basado en la psicoterapia que Toñi y yo realizamos entre 1998 y 1999. Entre 1999 y 2000 tuve que realizar un trabajo, como parte de mi formación como psicoterapeuta, basado en dos psicoterapias reales. Le propuse a Toñi la posibilidad de que una de ellas fuera la suya y aceptó de buen grado. Me permitió incluir textos que ella había escrito a lo largo de su proceso y realizó una valoración final de la terapia. Luego leímos y comentamos el texto, y decidimos entre ambas qué incluir y qué no.

Desde que lo escribimos muchas cosas han cambiado para ambas. Para mí la visión que tengo de la psicoterapia y mi forma de enfocar el trabajo. Debido a que se trataba de un texto técnico no tenía mucho sentido incluirlo aquí. Por esta razón, se trata de un extracto de aquel texto con algunas modificaciones y adaptaciones que lo hagan comprensible y coherente con el resto del libro.

También en la vida de Toñi ha habido muchos cambios. Sus textos se han incluido casi todos —excepto uno— y sólo se ha omitido información personal que podía afectar a terceras personas y que resultaba irrelevante para entender su experiencia como superviviente.

Algunos datos previos

¿EN QUÉ CONTEXTO VIVE TOÑI?

Provengo de una familia de origen andaluz que se trasladó hace muchos años a Cataluña. Mi madre, procedente de Almería, y mi padre, de Granada, llegaron a Barcelona siendo aún niños. Durante mi infancia viví en la localidad de Badalona, lugar en el cual ocurrieron los abusos. Unos años más tarde, nos trasladamos a otro distrito, Sant Adrià de Besòs, un lugar más tranquilo y un piso más grande. Yo tenía 11 años. A las pocas semanas de residir allí, recibimos la noticia de la enfermedad incurable de mi padre. A los nueve meses falleció, sin apenas poder disfrutar de nuestro nuevo hogar, que tanto había deseado y en el que había puesto tanta ilusión.

A partir de aquel momento, se creó en casa un vacío en el que nadie se atrevía a mencionarlo, cada uno de nosotros se refugió en sí mismo y nos convertimos un poco en extraños.

Una parte de la familia de mi padre dejó de tener relación con nosotros, era como si ignorándonos pudieran ignorar que mi padre hubiese existido y hubiese fallecido tan joven.

En el momento en que acudí a terapia, vivía con mi madre y mi hermano, ya que mi hermana se había independizado. Yo mantenía una relación de pareja desde hacía diez meses con el hombre que hoy es mi marido y padre de mi hijo.

EL CONTEXTO DE LA PSICOTERAPIA

La terapia se inicia en una ONG dedicada a ofrecer asesoramiento legal y psicológico a supervivientes de agresiones sexuales. Durante los primeros seis meses nos vemos una vez a la semana debido al estado de crisis en el que acude Toñi y las visitas son individuales a petición suya. Posteriormente, y a raíz de un intento de suicidio, la familia pide ser incluida en la terapia y ella accede, por lo que se van combinando las sesiones individuales y las familiares —ocho sesiones familiares—. En la última fase acude a algunas sesiones con su pareja.

¿Cómo llegó Toñi a terapia?

Antes de venir a terapia Toñi ha realizado varios tratamientos. Primero algunas sesiones de psicoterapia que ella no consideró de demasiada utilidad. Más tarde, tras explicar a su madre que había sufrido abusos sexuales en la infancia, siguió un tratamiento psiquiátrico. Dice que la psiquiatra le diagnosticó una «depresión obsesivo-compulsiva» y la trató con fármacos. La medicación que recuerda haber tomado es Tranquimazin®, Anafranil® y Reneuron®. Tras varios meses de tratamiento dejó por su cuenta las pastillas de forma brusca, todas a la vez. «No me ayudaban.»

En diciembre de 1997 conoció a una psicóloga que la remitió a la ONG antes mencionada y en febrero de 1998 contactó conmigo por primera vez. Unos meses antes había acudido a un sanador —aprovechando un viaje que realizó a Andalucía— y dice que la ayudó a cerrar el duelo por la muerte de su padre, «pero el abuso sigue estando ahí».

Pide hora con una actitud escéptica, diciendo: «Ésta es la última oportunidad que me doy».

¿Qué espera de nuestro trabajo?

La petición inicial de Toñi es trabajar toda una serie de «malestares» que experimenta desde hace bastante tiempo y que ella cree que tienen que ver con el hecho de que sufrió abusos sexuales en la infancia, entre los 4 o 5 años, aproximadamente, y los 12. El perpetrador era un vecino de su escalera. Plantea que, aunque este tema siempre ha estado ahí, empezó a «obsesionarse» un par de años atrás, cuando su novio le empezó a contar una historia similar sufrida por una persona conocida.

Explica que su padre murió cuando ella tenía 13 años y que ha necesitado siete años para asumir que está muerto. Ahora la madre tiene otra pareja y ella no lo soporta —esto crea tensiones en casa—. La relación con la madre es difícil, pero, a la vez, desde hace un tiempo se siente como una niña pequeña y la busca constantemente. Existe una ideación de muerte muy intensa y varios intentos de suicidio previos —el último se produjo un mes antes de solicitar terapia.

Entre los temas que le preocupan podríamos destacar: no entiende qué le pasa ni por qué (experiencias disociativas, *flashbacks*, autolesiones, rumiaciones, etc.), es incapaz de mantener relaciones sexuales y desde que tiene estas «experiencias extrañas» tiene miedo de salir a la calle sola y la tiene que acompañar alguien a cualquier lugar que vaya.

En la sesión inicial plantea dos aspectos que en mi opinión son muy significativos: «En diciembre dejé el tratamiento psiquiátrico de golpe, pero guardo las pastillas porque creo que algún día las necesitaré. Ésta es la última oportunidad que me doy y si no funciona me las tomaré. La última vez lo intenté colgándome del armario con un cinturón y no seguí adelante porque dolía mucho... No me asusta la muerte, pero sí el dolor».

En otro momento de la sesión dice: «Dicen que la personalidad se forma en los primeros años de vida y yo ya tengo 21 años. ¿Crees que mi personalidad puede cambiar?».

Mi respuesta fue: «Seguramente es cierto que no vas a poder cambiar tu manera de ser y de comportarte, esos rasgos característicos que te definen, vas a seguir siendo la misma. Tampoco vamos a poder borrar las cosas que han pasado. Lo que yo te puedo ofrecer aquí es que intentemos ver tu situación y tu historia desde diferentes puntos de vista. Cuando uno logra ver las situaciones de otra forma, éstas cambian».

La primera sensación que me vino después de la primera visita fue de peso, de responsabilidad. «No puedo trabajar con ella» fue mi primer pensamiento. La respuesta de mi supervisora cuando comenté la situación con ella fue: «Tú no puedes asumir trabajar con ella y ella no puede asumir seguir viviendo». Este comentario me hizo reaccionar y tomarme las cosas de otra manera. En la siguiente sesión le dije que tal como estaba planteada la demanda yo me sentía como si estuviera trabajando con la espada de Damocles encima de la cabeza y eso no era bueno para ninguna de las dos. Le planteé como condición para trabajar juntas que estableciéramos un contrato de «no suicidio» por escrito y ella lo aceptó.

Podríamos decir que se trata de una demanda *mágica* (Villegas, 1996) en la que Toñi espera que de alguna manera yo tenga la solución a sus problemas y sea yo quien los resuelva. Debido a las experiencias que ha tenido que vivir, para Toñi el mundo es un lugar impredecible donde las cosas ocurren al margen de lo que tú hagas: abusos, muerte del padre, etc. Por lo tanto, es normal que tenga la sensación de que no puede hacer nada para cambiar lo que le sucede o que los cambios no dependen de ella. Poco a poco Toñi logró asumir la autoría de su propia vida.

En una sesión posterior trae, por iniciativa propia, un texto que ha escrito en el que explica con mucha claridad la evolución de sus problemas. Esta carta puede ayudar a entender mejor su vivencia, explicada con sus propias palabras (21 de febrero de 1998):

Soy Toñi, una chica de 21 años, y me encuentro en una etapa de mi vida muy difícil de vivir. Por una parte no puedo apartarme del pasado, tanto del lejano como del próximo, y me cuesta continuar con el presente, ya que el pasado es una carga dura y pesada.

Sinceramente, me cuesta ver las cosas bonitas de la vida, la parte positiva, y disfrutar de ellas. Siempre traté de inventar para mí una familia perfecta, una vida perfecta y unos sentimientos perfectos. ¿Por qué la palabra «perfecta»? Pues porque no podía ser que la vida sólo me diera cosas feas, cosas malas y dolorosas. Entonces para mi cerebro era más sencillo inventar, y ya que inventas, ¿por qué no con perfección?

Tengo que decir que también pasé buenos momentos y al recordarlos me lleno de alegría, pero... (siempre sale el pero) me dio demasiado dolor y maldad, no mía, sino hacia mí. Supongo que muchas de estas cosas del pasado me han hecho ser una chica insegura, miedosa, negativa, con complejos, complicada, aunque sé que algunas cosas son también de mi carácter, vamos, digo yo. Pero supongo que el carácter se forma a raíz del nacimiento, el crecimiento y las experiencias. Bueno, llegó un momento en mi vida —que por cierto no sé cuál es— en que me di cuenta de que me costaba vivir, «que no sabía vivir», que el miedo me lo impedía.

Más tarde ocurrió la muerte de mi padre, pasé unos momentos malos, muy malos, y me encontré perdida. Con los chicos, no siempre, pero la mayor parte de mis relaciones fueron para mí dolorosas porque el miedo se apoderaba de mí y me convertía en una persona rara. Hasta que un día apareció Salva y la cosa cambió, todo fue distinto. Los seis primeros meses de nuestra relación fueron preciosos, una maravilla y, aunque ocurría algo raro, que en aquel momento no sabía definir porque no veía nada malo, presentía que algo ocurría.

A los seis meses más o menos de salir juntos algo ocurrió, empecé a tener problemas y mi cabeza comenzó a cambiar. Estuve en psicólogos y llegó un momento en el que tuve que contarle a mi madre y más tarde a mis hermanos que no podía más, que me estaba partiendo en dos y me estaba destrozando. Me llevaron a una psiquiatra, pero la cosa no mejoraba, por eso me empezaron a dar medicación, pero todo seguía sin funcionar. Me fui a Sevilla con mi madre y allí encontré a un curandero; tengo que decir que el peso que llevaba sobre mí yo sabía que era mi padre; él me lo quitó, pero la otra parte la sigo llevando encima.

En el mes de diciembre conocí a una psicóloga que por desgracia en el mes de enero murió, pero dejó un teléfono para mí apuntado, como me había dicho unos días antes que me daría; a ella le doy las gracias. Y me dijo: «Toñi, ves que allí pueden ayudarte, date esa oportunidad que tú eres fuerte y puedes». Al poco tiempo, a los pocos días, encontré el centro de ayuda y empecé a recibirla, y tengo puestas muchas esperanzas porque, no sé cómo ni sé cuándo, pero algún día volveré a vivir.

Como se puede ver, hace una exposición muy clara de cuál es el problema y de cómo ha ido evolucionando, pero no tiene ninguna idea respecto a la solución. De hecho, pone la responsabilidad del resultado en mis manos. Necesitó tiempo para comprender que los cambios dependían de ella, no de mí.

¿Qué es lo que le sucedía a Toñi?

Toñi cumplía todos los criterios del trastorno por estrés postraumático según los criterios del DSM-IV (véase el capítulo 1): miedos recurrentes, evitación de recuerdos sobre el abuso, dificultades para dormir, estado de alerta constante, etc.

Pero también tenía miedo a salir a la calle sola, necesitando en muchas ocasiones la compañía de alguna persona cercana para atreverse a ir a los sitios. Entonces pensé que se trataba de agorafobia.[1]

Aun así, Toñi, como muchas supervivientes de agresiones sexuales, mostraba un gran sufrimiento que no se podía explicar como ninguna forma de trastorno o patología mental, sino como la reacción normal de una persona ante una experiencia que no es normal (abusos sexuales en la infancia de larga duración). Muchas de las «experiencias» de Toñi tuvieron un carácter protector y adaptativo en el momento de la agresión (disociaciones, amnesia parcial, etc.) y sólo se volvieron problemáticas porque persistieron más allá del momento de la agresión. Otros «síntomas» forman parte del esfuerzo que realiza Toñi por dar sentido a su experiencia (rumiaciones, *flashbacks*, culpa, autolesiones, miedos, etc.).

1. «Agorafobia» es el nombre técnico con el que se conoce el pánico a salir a la calle solo, de forma que la persona va limitando cada vez más su mundo. En casos extremos la persona se ve incapacitada para salir a la calle.

Sobrevivir a una agresión sexual no es ningún trastorno y me parece que no se debería catalogar como tal, incluso si ha sido una experiencia traumática. El trauma no es una enfermedad, sino la forma que la persona encuentra para afrontar la situación.

Por otro lado estaba su deseo de morir, que entonces interpreté como una forma de liberarse del sufrimiento relacionado con los abusos y ahora, desde la distancia, creo que tenía mucho más que ver con la muerte del padre y su deseo de seguirle (Weber, 1999; Hellinger y Ten Hovel, 2000).

Al inicio de la terapia su miedo a salir sola a la calle era una de las cosas que más le dificultaban su desempeño en las actividades cotidianas. Algunas supervivientes presentan miedo a salir a la calle después de la agresión por miedo a que se vuelva a repetir, porque el mundo se vuelve inseguro para ellas y están siempre alerta por lo que pueda suceder. En el caso de Toñi, el miedo tenía otras características: su agresor era un anciano enfermo que no se podía mover de la cama y su miedo no tenía que ver con que alguien la volviera a agredir.

Cuando empezó a recordar con nitidez el abuso (no es que antes no recordara qué había sucedido, sino que no solía pensar en ello), también volvió a conectar con los sentimientos de la niña (el miedo, la indefensión, la impotencia, etc.).

En el caso de Toñi los abusos son la experiencia que convierte el mundo externo en un lugar peligroso y hostil y, por lo tanto, amenazante. «Yo estaba descubriendo el mundo y cuando pasó esto me empecé a volver introvertida, a crear mi propio mundo. ¿Cómo iba a salir a la calle tranquila si tenía que pasar por su casa (del agresor) para salir? [...] Cuando iba con mi padre sí estaba tranquila porque sabía que él no me dejaría allí y no me pasaría nada.»

Una de las estrategias que siempre ha usado es evitar la exploración. Por ejemplo, limita su vida a su barrio y cuando cambian de barrio (a los 12 años) le cuesta adaptarse: «Ahí perdí mi infancia y lo único que conocía».

A la muerte del padre ella siente que la forma de sobrevivir es recurrir a sí misma, hasta que conoce a su pareja y esta estrategia deja de funcionar. Entonces ella vuelve a buscar, igual que de niña, la protección fuera, en la pareja, pero siente que no es suficientemente segura: «Yo soy la fuerte en la relación de pareja». Es un momento de su vida en el que surgen los recuerdos, los *flashbacks*, etc., y explica el abuso a la madre. Se siente defraudada de nuevo porque reclama a la madre desde la niña desvalida, no desde la adulta superviviente.

Lo cierto es que, cuando Toñi se puede enfrentar al abuso desde la mujer adulta, con los recursos de que dispone, el miedo a salir sola a la calle desaparece, poniendo de manifiesto que se trataba de un miedo muy ligado al abuso y al temor que sentía cada vez que tenía que pasar por casa del agresor para salir a la calle.

Con relación a la situación familiar, Toñi era la hija más cercana al padre y sus hermanos mayores tenían mayor relación con la madre. Una vez muerto el padre, Toñi, que es la más pequeña, es la que dispone de menos recursos para elaborar el duelo. Una parte de ella, por lealtad al padre, parece decir: «Yo también quiero morir contigo» (Hellinger y Ten Hovel, 2000).

Detrás de la rabia de la madre hay mucha culpa por no haber podido evitar los abusos y, sobre todo, mucho dolor. Racionalmente sabe que no podía evitar algo que desconocía que estuviera ocurriendo, pero esta idea no reduce su sufrimiento. También detrás de la rabia que Toñi siente por su madre hay dolor. Dice Hellinger (2001): «Las emociones decisivas de trasfondo son el dolor y el amor. En vez de encarar el dolor quizá me enfurezca».

Por otro lado, Toñi fue una niña sometida a la experiencia de guardar un secreto que influyó poderosamente en la imagen que tiene de sí misma y en su forma de relacionarse con los demás (reservada, vergonzosa, miedosa, etc.). Ella sentía que tenía experiencias raras (disociaciones, miedos) y el lugar más seguro para ella era su habitación, con sus muñecas, aislada de los otros miembros de la familia. Todos en la familia decían que era rara y la trataban como tal, reforzando en ella el sentimiento de ser diferente (White y Durrant, 1996). Indudablemente, para cualquier persona que no conociera su situación la reacción de Toñi debía de resultar extraña.

La presión del secreto, por otro lado, provocaba que le resultara difícil concentrarse, confirmándole que no era suficientemente inteligente: «Siempre he sido el patito feo en casa».

De alguna forma, la descripción de su historia vital «saturada de problemas» (White y Epston, 1993) le impedía encontrar salidas, hasta el punto de que durante mucho tiempo la única salida para ella parecía ser el suicidio.

Trabajo con autocaracterizaciones[2]

La autocaracterización es una técnica ideada por Kelly (1955), quien la utilizó como método de evaluación y también para la terapia del rol fijo. Empezó a experimentar con ambos métodos en la década de 1930, e inicialmente la investigación se basaba en el supuesto de que «una personalidad se puede desarrollar mediante el lenguaje» (Neimeyer, 1996). Decidí utilizar la autocaracterización por varias razones:

- A Toñi le gusta mucho escribir.
- Pensé que era una buena manera de ver cómo se veía a sí misma en aquel momento y eso podía ayudarme también a mí a entender su situación.
- El hecho de que fuera un escrito en tercera persona la podría ayudar a tomar un poco de distancia y no ser tan crítica consigo misma.
- Dado que su narración estaba «saturada de problemas», ésta era una forma de valorar su narrativa y, al mismo tiempo, de que tuviera efectos terapéuticos.

2. Para más información sobre el análisis de autocaracterizaciones remito al lector a Neimeyer (1996).

Le sugerí a Toñi que escribiera una autocaracterización al final de la primera sesión. Se lo planteé de la siguiente manera:

ÁNGELA: Me gustaría pedirte un trabajo para el próximo día. Se trataría de que escribieras sobre quién eres, cómo eres, pero estaría bien que lo hicieras en tercera persona, como si lo escribiera tu mejor amiga, alguien que te conoce y te entiende mejor que ninguna otra persona. Esto me ayudará a conocerte mejor.

Y a partir de esta consigna, la autocaracterización que escribió fue la siguiente:

Toñi: una vida, un alma

Siempre fue una niña con ojos tristes, en sus fotos siempre aparece con sus grandes ojos y unas enormes ojeras alrededor diciendo tristeza, pero a la vez una luz de fantasía. Yo a veces la llamo Antoñita la Fantástica. Pretende tapar algo oscuro inventando historias, contándose fantasías, pero algo se le escapa en algún momento cuando está a solas, melancolía, soledad, dolor, un vacío que, me parece, aún no ha sabido llenar.

Recuerdo que ya desde pequeña prefería estar con su prima Mari. Se la llevaban ella y su entonces novio por ahí al zoológico, a Montjuïc, etc. Cuando se casaron las cosas continuaban igual, iban a buscarla los viernes por la tarde a la guardería y volvía a casa el domingo por la tarde. A su madre incluso llegó a darle un poquito de celos que su hija pequeña prefiriese irse con su prima que estar en casa con ella.

En la guardería había una niña más grande que se llamaba Antonia y muchas veces le pegaba y todavía recuerda su cara, aun-

que me parece que no ha vuelto a verla desde que salió de la guardería.

Iba al mismo colegio que sus hermanos y no era tan espabilada como ellos, siempre le costó más aunque no repetía curso. A ese mismo colegio iban sus primos y uno de ellos, Salva, iba a su misma clase. Las profesoras llegaban a mosquearse con ella porque no hablaba en clase, no participaba con sus compañeras y era demasiado reservada. Incluso la tutora de 5º, cuando le dijo que llamara a su hermano que quería hablar con él, no se creía que fueran hermanos cuando se enteró de quién era él, un chico espabilado, resuelto, muy inteligente pero demasiado hablador en clase y muy revolucionario que siempre se cachondeaba con todos y de todos.

Con esos mismos primos que iban a su colegio era con los que iba de vacaciones, siempre solían salir los nueve por ahí los fines de semana y de vacaciones.

Cuando fue creciendo se convirtió en una niña tímida, vergonzosa, llorona, perezosa, fantasiosa, le gustaba hablar sola, cualquier cosa es mejor que tener que encontrarse con la realidad y plantarle cara, pero es sobre todo una chica solitaria, le da miedo la gente que no conoce, los espacios abiertos con demasiada gente, es indecisa, le cuesta tomar decisiones.

Cuando se hizo adolescente las relaciones con los chicos eran un poco complicadas porque no se abría con nadie, no compartía los sentimientos, si se enamoraba no lo expresaba, y eso hizo que algunos chicos jugaran con ella.

En casa siempre fue el patito feo, la que tenía más defectos y más problemas en el colegio y la que menos salía a jugar. Lo que los demás hacen mal pasa el tiempo y se olvida, en lo que ella se equivoca siempre hacen que lo recuerde, lo cuestionan y se lo restriegan.

A los 12 años se cambiaron de casa y en parte fue un alivio, pero ahí perdió su infancia y lo único que conocía. A los pocos días supo que su padre se moriría, pero no pensó que fuese a pasar. Al fin pasó y empezó a esconderse del mundo, se encerraba en su habitación, con la luz apagada y la puerta cerrada para poder llorar. Los demás hacían su vida y ella sólo lloraba, no sabía qué más hacer. Por las tardes y los fines de semana se quedaba en casa con su madre, sus hermanos se iban y ella se quedaba allí, eran como dos muertas, allí sentadas en el sillón viendo la tele.

Sé que se siente diferente, que se siente mal, pero no es capaz de pedir ayuda, de decir que estén con ella, que los necesita, porque cada uno tiene su vida y no quiere estropear la felicidad de ellos.

A los 19 años, cuando empezó a tener problemas, esperó a no poder más y pidió ayuda a su madre, entonces sus hermanos empezaron a estar más por ella y a demostrarle cariño, sobre todo cuando la psiquiatra les dijo que tenía una «depresión obsesivo-compulsiva». Cuando pasó el tiempo Toñi se fue a Sevilla con su madre a descansar unos días, con toda su medicación a cuestas. En teoría, cuando Toñi volvió estaba curada, y a los cuatro días se olvidaron de ella, no hablaban con ella de sus sentimientos, no se paran a pensar si su hermana los necesita, cuando ha intentado hablar con ellos tienen otras cosas que hacer.

Sobre los abusos en la infancia no suele hablar, es demasiado duro y le está ocasionando demasiados problemas, no dice cómo se siente, qué piensa, no habla, no dice nada.

Al final de la terapia

Una vez finalizado el proceso terapéutico le propuse a Toñi volver a escribir una autocaracterización con el objetivo de poder comparar los cambios que se han producido en su imagen de sí misma y de los otros y en qué sentido se ha producido el cambio. Éste fue el texto que escribió:

Seguramente esta carta será bastante distinta de la anterior, primero por la diferencia de edad y segundo porque todo es distinto.

Toñi siempre ha sido mi mejor compañera, de ahí que lo conozca todo tan bien de ella.

Voy a hacer un pequeño resumen de hace unos seis meses para atrás. Pequeño porque prefiero contar los últimos meses, que han sido mejores.

Normalmente ha sido insegura, miedosa, obsesiva, compulsiva, complicada, etc. Yo diría que ella ha sido un rompecabezas, que le vas dando vueltas, dando vueltas sin construir nada y así hasta llegar a obsesionarse. Cualquier cosa era un mundo, un desastre. En fin, que un día lloraba y tres también. Llegó un momento en que era demasiado difícil vivir el día a día con ese ritmo de vida insoportable.

Llegó el momento de cambiar, empezó a aprender a no pensar en cosas raras, a no enredarse en ese círculo vicioso de pensamientos que sólo le hacían daño. Empezó a aprender a dirigir su vida porque supo aprender a controlar su mente cuando pensaba, pudo decir BASTA *cuando la mente le decía cosas dolorosas e incomprensibles.*

Una de las cosas que le enseñaron y que empezó a tomarse en serio fue: «Toñi, no se puede y no se debe JUGAR CON LA MENTE*».*

Algo que siempre la había obsesionado fue el control —si tienes control sobre todo lo que vivas tendrás seguridad— y resultó ser mentira, porque demasiado control no le dejaba vivir con alegría y siempre estaba sufriendo, entonces cambió todo eso y sólo controlaba los malos pensamientos, cuando la mente se liaba en un círculo repetitivo, entonces sí lo controla, pero el resto del tiempo procura no hacerlo.

Ahora se mira en el espejo y no se odia. Ella sola se dice cosas bonitas y se echa piropos, incluso delante de su familia, y lo mejor es que hasta se lo cree. Eso es algo de lo que los suyos se han dado bastante cuenta y hasta le dicen presumida, pero ella se siente bien.

Podría decirse que de aquella Toñi casi nula que era hace unos dos años a la Toñi que es hoy ni son la misma persona, ni piensan igual, ni sueñan igual, ni tienen nada que ver entre sí. Yo me alegro, de todo corazón, porque ahora sí es VIVIR.

COMPARACIÓN ENTRE LAS DOS AUTOCARACTERIZACIONES

La diferencia entre ambas autocaracterizaciones aparece ya definida por Toñi en la primera frase de la segunda autocaracterización: «Ésta será bastante distinta de la anterior, primero por la diferencia de edad y segundo porque todo es distinto». Aquí introduce la temporalidad en su narrativa, que según White es un aspecto esencial del cambio.

En la primera se centra en el pasado, y más en hechos que en descripciones. Destaca aspectos negativos y no se muestra autora de su propia narrativa, parece que las cosas simplemente han ocurrido.

En la segunda, en cambio, habla de cosas que ha aprendido, de logros: «Aprender a no pensar en cosas raras», «Empezó a aprender a dirigir su vida porque supo aprender a controlar su mente cuando pensaba, pudo decir BASTA».

En este relato ella es la autora de su propia vida y se centra en el pasado reciente y el presente.

Además, el punto de vista que adopta para hacer la descripción es mucho más generoso, pues dice: «Toñi siempre ha sido mi mejor compañera», y esta frase de alguna forma suaviza la visión negativa que tiene de sí misma en el pasado.

Las narrativas de Toñi

Dada la cantidad de sesiones realizadas y el volumen de material recopilado, hemos elegido este aspecto para compartir con los lectores.

Los escritos de Toñi son muy significativos porque ella es la protagonista de este proceso y su narrativa refleja su participación activa en el mismo, así como su evolución a lo largo de estos dos años, su visión del mundo, de sí misma y de su entorno (familia, amigos, pareja, etc.). También incluyo una carta que yo le escribí a ella porque creo que también puede ser de interés.

Un proceso terapéutico no es nunca un proceso lineal. Muchos temas fueron apareciendo a diferentes niveles a lo largo de toda la terapia. Hemos hecho una selección de textos que son sólo una pequeña muestra del trabajo que Toñi realizó.

Me gustaría comentar que cuando iniciamos este trabajo juntas creo que ninguna de las dos sabíamos muy bien adónde iba a llevarnos, ha sido un proceso que hemos ido construyendo conjuntamente. En ningún momento me planteé una forma determinada de trabajar (por ejemplo, que tendría que explicar todos los sucesos con detalle, ni revivir la experiencia o sufrir una catarsis ni nada por el estilo). Pensé que la iba a acompañar en el proceso de reconstruir su historia vital, y en ella los abusos eran una experiencia más —no «la experiencia»—, de forma que ella pudiera elegir cómo y cuándo deseaba trabajar cada cuestión. Creo que poder elegir el cómo y el cuándo de su propio proceso terapéutico le ayudó a recuperar la sensación de control sobre su vida.

La primera narrativa que Toñi trajo a terapia fue su autocaracterización, en la segunda sesión (véase el fragmento titulado «Toñi: una vida, un alma», págs. 179-181).

De acuerdo con la hipótesis basada en el modelo de White y Epston, Toñi presenta una «narrativa saturada del problema». Por ese motivo me planteo escribirle una carta ofreciéndole una narrativa alternativa en la cual he rescatado los aspectos positivos de su historia vital y me he centrado en las cosas que sí ha podido hacer.

> Desde este punto de vista se supone que los clientes tienen recursos y competencias suficientes para introducir los cambios que desean. La tarea del terapeuta, entonces, consiste en crear un contexto dentro del cual los clientes tengan acceso a sus recursos y su competencia. El proceso de entrevistas está destinado a suscitar y destacar estas competencias (De Shazer, 1985, cit. en O'Hanlon, 1996, pág. 167).

También he intentado dar un nuevo significado al secreto redefiniéndolo como una forma de proteger a la familia. Elaboré esta carta a partir de su autocaracterización y del material recogido en terapia hasta ese momento y se la entregué cuando finalizó la tercera sesión:

Toñi:

En estas dos ocasiones en que nos hemos visto has podido empezar a compartir conmigo algún capítulo de tu historia, una historia dura y difícil pero, al mismo tiempo, conmovedora.

Te defines como una niña de ojos tristes y enormes, unos ojos que te han permitido ver más de lo que la mayoría de la gente puede ver y han llenado tu memoria de detalles, de recuerdos, de matices...

Pero también tu historia estuvo marcada por la familia, tus primos, las salidas de fin de semana por Barcelona siendo la favorita de tu prima Mari.

También el secreto ha tenido un peso en tu vida, un secreto que te impusieron otros y que tú finalmente pudiste romper. En esta lucha contra el silencio tú lograste ser la vencedora.

Tras la muerte de tu padre tú te negaste a dejar de pensar en él constantemente y te esforzaste en guardar dentro de ti su imagen y mantener vivo su recuerdo, como si fuera una parte de ti misma. De esta manera has logrado que una parte de él viva dentro de ti. Te costó recuperar tu día a día, como hicieron los demás.

Siempre has conservado un espíritu de generosidad, protegiendo a tus hermanos «de saber» cosas dolorosas y llevando tú sola todo el peso, y a tu madre de la soledad y de sus dificultades personales aun a costa del silencio, porque además de generosa tienes un gran sentido del compromiso.

Hubo un momento de tu historia en el que ocurrió algo muy especial: apareció en tu vida Salva, alguien que siempre ha estado a tu lado, te ha escuchado, ha intentado entenderte y apoyarte, con el que puedes contar; una persona dispuesta a compartir contigo el camino y las dificultades que están apareciendo en él.

Tras esa persona reservada y silenciosa se puede encontrar a alguien especial, una persona llena de sensibilidad que quizá sólo necesita darse una oportunidad y permitirse ser ella misma, dejar salir a la luz a esa Toñi desconocida y al mismo tiempo tan cercana. Quizás en este espacio podemos intentar encontrarla y darle vida.

Espero que pienses en ello y podamos seguir hablando.

ÁNGELA

En la cuarta sesión nos centramos en la relación con su padre. White (1996), en un artículo titulado «Decir hola de nuevo», parte de la idea de que la imagen que tenemos de nosotros mismos viene determinada, en parte, por la imagen que los demás tienen de nosotros, y cuando fallece una persona significativa con ella enterramos la visión única que esa persona tenía de nosotros.

Toñi era alguien especial para su padre y con su muerte ella perdió esa visión que su padre tenía de ella y eso es lo que intentamos recuperar. Parece que sus hermanos tenían una relación más estrecha con su madre y al morir el padre ella se siente desplazada en la familia y sin referentes.

ÁNGELA: ¿Qué cualidades veía tu padre en ti?

TOÑI: Iba de paseo con él, yo era «su niña pequeña», teníamos gustos comunes, me veía como alguien alegre y divertida.

ÁNGELA: ¿Y qué supuso para ti su muerte?

TOÑI: Cuando murió empecé a tener pesadillas y no era capaz de dormir sola. Tenía miedo a cerrar los ojos porque le veía. Supongo que pasé de ser una niña a ser una persona más adulta, hay muchas cosas que dejé atrás.

Como idea para que pudiera trabajar en casa le planteé lo siguiente: «Toñi, si pudieras verte con los ojos de tu padre, ¿qué cosas serían diferentes?». Lo que ella trajo fue el siguiente escrito que tituló «Hija y padre». Luego lo comentamos en la sesión y sirvió para abordar otros aspectos familiares, como su dificultad para afrontar las separaciones, su miedo a salir a la calle, las diferencias en la relación con su madre y su padre, etc. Esto es lo que Toñi escribió:

Hija y padre

Sinceramente no sé cómo me vería a través de los ojos de mi padre, porque no sé cómo me vería él, con esta edad, si sería más estricto que mi madre o más pasivo, si nos protegería más o nos daría cuerda, y esto creo que va influyendo en el carácter.

Quizá no me sentiría tan inestable y sería menos miedosa, miedosa a enfrentarme a mi vida, porque ahora siento un tremendo miedo, ya que la vida me dio un padre, una madre, unos hermanos y hace cinco años y medio un perro, y ha empezado a quitarme a mi padre, mi figura protectora.

Supongo que no me sentiría tan indefensa ni sentiría que mi familia se diluye, seguiría sintiéndolos tan cerca como antes, compartiendo el día a día con ellos. Pienso que mi padre me apoyaría más en el tema de futuro, estudios, pensamientos, proyectos, errores. También creo que todas estas cosas van ligadas a las circunstancias; supongo que, en casa, al romperse quizá no el motor, que creo que es mi madre, pero sí el palo mayor, que es mi padre, puede que las astillas que saltaron en parte nos unieron para protegernos, pero, por otra parte, cada uno por su lado se lamía sus heridas y la soledad nos cambió a todos.

Si la vida me lo hubiese arrebatado a una edad avanzada y no con 43 años, no le tendría tanto repelús (a la vida); quizá por eso no le sonría demasiado, quizá por ello no me sonría tampoco ella. Pienso que sería más feliz porque él me hacía sentirme fuerte ante los demás al poner él primero una barrera protectora y luego mi fuerza. Aunque hay cosas que han influido bastante también en mi vida, creo que con la muerte de mi padre la vida me enseñó su cara más horrible.

También en esta misma sesión (y por iniciativa propia) trajo una carta que me dio al final (véase el apartado «¿Qué espera de nuestro trabajo?», págs. 173-175), en la que empieza a elaborar la demanda en otros términos dándole una coherencia dentro de su historia vital (aunque siguen apareciendo componentes mágicos, como si yo fuera a ser la responsable de su cambio) y yo lo aprovecho para abordar en otra sesión posterior el tema de la responsabilidad respecto a su vida y sus decisiones y al hecho de que si logra cambios va a ser ella misma la que los va a realizar.

En la sesión siguiente le planteo una nueva tarea (relacionada con la anterior) en la que trabajamos las ideaciones suicidas pero de forma indirecta. Lo abordamos trabajando sobre la vida en lugar de sobre la muerte. Mi propuesta es que escriba todas las cosas por las que merece la pena seguir viviendo. Comentamos la tarea y lo que más le sorprende es que haya tantas cosas en la lista. Esto es lo que ha escrito:

Algo por lo que merece la pena vivir...

- *Formar una familia.*
- *Tener hijos (me gustaría tener tres, dos niños y una niña).*
- *Tener dos pastores alemanes.*
- *Tener tortugas.*
- *Tener un pequeño jardín.*
- *Ver un sábado noche un partido Barça-Madrid en «mi» casa con mis hermanos y amigos (que gane el Barça, claro).*
- *Ver a mis hijos crecer.*
- *Tener sobrinos.*
- *Ver la boda de mi hermana.*
- *También la de mi hermano.*
- *Educar a mis hijos.*

- *Ser feliz con Salva.*
- *Ser maquilladora profesional.*
- *Aprender a conducir.*
- *Leer muchos libros.*
- *Aprender a pintar.*
- *Cuidar de mi madre cuando sea mayor.*
- *Ver que mis hijos quieren mucho, mucho a mi madre y que la llenan de alegría.*
- *Ver cómo mi madre les grita y se emociona.*
- *Llegar a ver que mi hermano es uno de los mejores cocineros.*
- *Llegar a ver a mi hermana de gobernanta en un hotel.*
- *Ver vivir muchos años a mi perro Pitu.*
- *Llegar a quererme, verme bonita y, sobre todo, sentirme feliz.*

Otra tarea que le propongo en una sesión posterior es un trabajo sobre la autoestima. Le doy para casa una serie de tarjetas en las que aparece escrito «YO SOY...» que ella debe completar. Trae doce adjetivos y le pido que los ordene del que más le gusta al que menos (el orden es el que ella estableció, con el adjetivo «creativa» como lo que más le gusta y «miedosa» lo que menos).

Lo trabajamos de la siguiente forma: vamos comentando cada característica y le pregunto: «¿Qué es lo que más te gusta de ser...?».

Creativa — *«Me hace sentir bien y me puede ofrecer salidas profesionales. Se me da bien la decoración, el maquillaje... querría ser maquilladora profesional.»*

Amable — *«La gente llega a quererte.»*

Sincera — *«A la larga me siento bien porque no soporto ser hipócrita.»*

Inteligente — *«Tengo la capacidad para resolver cosas, puedo ayudar a otros de forma inteligente. También está bien a la hora de buscar trabajos, de no dejarme tomar el pelo... Me ha costado reconocer que soy inteligente, pero me siento contenta de haberlo hecho.»*

Fantasiosa *«Es bueno para hacer proyectos y también me ha servido para olvidar cosas.»*

TOÑI: De las que quedan no sé decirte nada positivo.

ÁNGELA: Yo creo que las cosas en sí no son buenas ni malas, si tú eres de esta forma y tienes estas características debe ser por algo, deben tener algún sentido en tu vida y algún aspecto positivo.

Tímida *«Me ha servido para tener un mundo aparte, para poder imaginar y no cometer tantos errores.»*

Desordenada *«No hay rutina, no es todo mecánico.»*

Nerviosa *«Hago cosas, me muevo, estoy activa.»*

Introvertida *«A veces me ha servido para no dejarme llevar ni dar un paso rápido, para poder pensar.»*

Complicada *«Me ha servido para no ser conformista.»*

Inestable *«Me ha ayudado a salir corriendo de situaciones de las que luego me habría arrepentido.»*

Miedosa *«Me ha dado miedo el dolor de otros, por ejemplo con la idea de suicidarme.»*

En la sesión 14 empieza a surgir el tema de las agresiones (el contenido, lo que ocurrió). Es algo de lo que no ha hablado con nadie y siente que le pesa pero, al mismo tiempo, le da vergüenza hablarlo y no se siente capaz.

Yo le propongo qué le parecería si encontráramos la forma de que fuera capaz de poner nombre a lo que le pasa sin tener que sentir que le da vergüenza que otros la escuchen: le parece bien y le pregunto qué le parecería la idea de escribir. Dice que lo intentará.

Unas sesiones después aparece con unas páginas manuscritas y me pide que me las lea yo más tarde porque ella no se siente capaz de leérmelas. Hemos decidido no incluir ese texto aquí debido a que está lleno de dolor y de rabia y entendemos que no sería de demasiada ayuda para ningún superviviente. Al fin y al cabo, cada superviviente tiene suficiente con su propia historia.

Después de leer dicho texto empezamos a reconstruir diferentes aspectos de su experiencia: ¿Qué son los *flashbacks*? ¿Qué peso tienen en su vida? ¿A qué experiencias van asociados? ¿Qué son las experiencias disociativas? ¿Cómo y cuándo aparecen? ¿Cómo integrarlas? ¿Qué son los recuerdos fragmentados y cómo funciona la memoria en situaciones traumáticas?, etc.

A veces se trató de un trabajo psicoeducativo, en el que yo le facilité información o lecturas sobre cómo funciona nuestra memoria u otros aspectos que le pudieran ayudar a entender su propia experiencia y, de ese modo, reducir su angustia —son experiencias más fáciles de manejar cuando tienen un sentido—; en otras ocasiones se llevó a cabo un trabajo en el que ella fue conectando los hechos que ocurrieron en el pasado con experiencias actuales. Por ejemplo, las experiencias disociativas de entonces «sintiéndome como una roca» están conectadas a las dificultades posteriores en las relaciones sexuales: «Durante las relaciones sexuales imaginaba que era una piedra y así era más fácil».

Otro hecho significativo es cómo empieza a encajar fragmentos de recuerdos, por ejemplo, un beso de su pareja con un *flashback* sensorial que le resultaba angustioso y no tenía ningún sentido para ella (hasta que le viene una imagen del agresor y asocia esa sensación de asco con el recuerdo y no con lo que le sucede en el presente).

Bower (1981) encontró evidencias de que el estado de ánimo influye en las asociaciones libres, en las expectativas, predicciones e interpretaciones, en las situaciones interpersonales y en las construcciones imaginativas. Según él ciertos estados emocionales pueden estar asociados con recuerdos o acontecimientos que ocurrían cuando la persona experimentaba dicho estado emocional. Un estado de ánimo puede provocar un recuerdo y cierto recuerdo puede provocar determinado estado de ánimo.

En los recuerdos tienen importancia los sistemas de memoria verbales e imaginativos. A menudo los recuerdos están fragmentados. Es posible que la persona tenga acceso sólo a una imagen, una frase repetitiva o un sentimiento inexplicable en la situación actual. En este punto del trabajo es cuando Toñi empieza a recomponer trozos de recuerdos.

Los fragmentos a veces eran muy perturbadores para Toñi, que no entendía algunas de sus sensaciones y reacciones. Por ejemplo, se ponía muy nerviosa con los objetos de color naranja, hasta que recordó un cuadro que había en el comedor de casa del agresor de ese color.

Cualquier imagen, afecto o fragmento verbal relacionado con el recuerdo traumático puede generar otros fragmentos. Según Paivio (1986) la memoria se codifica de forma dual (verbal e imaginaria) y los recuerdos traumáticos consisten en representaciones de imágenes repetidas (McCann y Pearlman, 1990).

En un momento posterior empezamos a abordar las dificultades en las relaciones sexuales y surge el tema de que puede tener orgasmos si se masturba, pero no cuando mantiene relaciones sexuales con su pareja. En ambos casos aparece un tema común, *la culpa*:

Durante las relaciones sexuales me viene la imagen de la cara y las manos de «ese hombre», entonces siento asco hacia Salva y rabia por no poder apartar esa imagen de mi vida, e impotencia por no haber podido impedir que ocurriera.

Si me masturbo y me vienen imágenes me culpo y me insulto. [...] Querría no tener fantasías ni cuerpo.

Si hay imágenes me siento mal, a veces me pellizco para sentir algo distinto. Siento dolor pero sé que me lo estoy haciendo yo, que lo controlo yo.

Si no me sintiera tan culpable tendría más tranquilidad.

Él me hacía sentir culpable. Pensaba que si lo decía a mi familia dejarían de quererme, pero yo me sentía culpable por mentir. Querría perdonarme, pero no sé cómo.

Le propongo lo siguiente: «Cuando sientas que puedes, que estás preparada, te propondría que, desde la mujer adulta que eres ahora, escribieras una carta a la niña que fuiste un día perdonándola por haber vivido con ese secreto tantos años, por haber sido una niña que no sabía lo que estaba ocurriendo, por haber tenido miedo...».

En la sesión siguiente trae la carta «De Toñi adulta a Toñi niña» (3 de marzo de 1999):

Querida Toñi:

Creo que hace tiempo que deberíamos habernos puesto de acuerdo en algunas cosas que pasaron, cada una tiene un punto de vista por razones de edad.

Ahora pienso que estuvo bien que no dijeses nada en el momento en que todo estaba ocurriendo, porque seguramente hubiera pasado algo horrible en casa. Sólo quiero que sepas que fuiste buena por aguantar todas esas cosas que una niña nunca debería vivir, sin que eso tuviera mayores problemas para la familia.

Ahora quiero que sepas que me toca a mí tratar de resolver todos esos sentimientos de culpa, miedo, asco, dolor, etc., que a ti te quedaron pendientes. Aunque supongo que lo sabes, tengo que decirte que el otro día intenté enfrentarme a ese hombre, intenté verlo para poder comprobar que ya no puede hacernos daño. Aunque no pude verlo —porque esa mujer no quiso abrirme la puerta—, ahora sé que ya soy más poderosa que él, que no puede volver a tocarme ni a hacerme daño. Por lo tanto, quiero que sepas que no has de volver a sentirte culpable, ni a tener miedo, ni a sentirte responsable de algo que te ocurrió a destiempo.

Esa señora supongo que sabía para qué estaba yo allí y también sabe que ella era la única que podía parar aquello sin que ocurriese nada grave. Por eso quiso hacerme ver que no estaba en casa.

Así que deja de pensar que algo puede volver a pasar y deja de tener miedo, porque yo ya me he demostrado a mí misma que eso es totalmente imposible. No volverá más y el resto es cosa mía. Quiero que sepas que te quiero y que todos los años que viviste asustada y con dolor los utilizaré para ser fuerte y no permitir que otras cosas menos importantes puedan conmigo.

Sinceramente,
Toñi

Hacía tiempo que se planteaba la idea de confrontar al agresor, pero tenía miedo. Supongo que era una idea que fue madurando a lo largo del tiempo y, finalmente, se decidió a hacerlo. El resultado fue que el miedo disminuyó mucho: «Ahora sé que yo soy más fuerte. Puedo ir por la calle sin miedo. Antes iba mirando al suelo y ahora puedo ir mirando a la gente a la cara».

Creo que el hecho de poder confrontar al agresor fue determinante para que pudiera escribir esta carta, que me leyó en la sesión.

Como resolución de su experiencia traumática, hay dos momentos fundamentales: el día que logra escaparse de casa del agresor, impidiendo de esa forma las agresiones, y el día que decide ir a su casa a confrontarlo. Toda la adrenalina y los procesos de huida que Toñi había puesto en marcha durante su infancia se quedaron bloqueados porque, en sus circunstancias, paralizarse era su mejor estrategia de supervivencia. Sin embargo, en esas dos ocasiones en las que puede usar la energía para huir y para enfrentarse al agresor puede resolver a nivel fisiológico parte del trauma. De hecho, a partir de ese día, salir a la calle sola tiene otro significado para ella.

Otro aspecto que trabajamos fue la relación con su madre. Al principio le resultaba muy complicado explicarme cómo se sentía en la relación, así que lo intentamos con un dibujo.

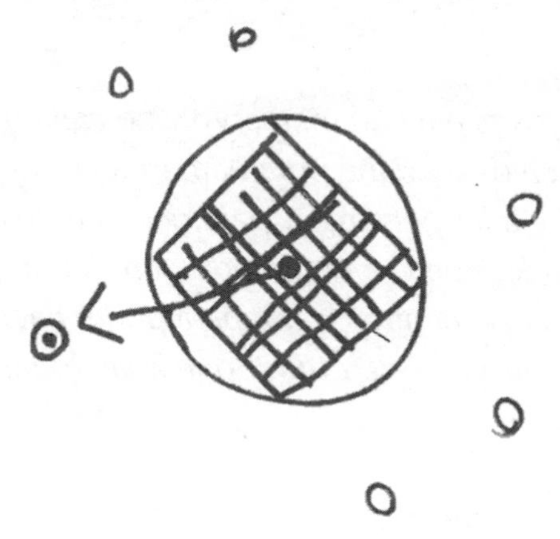

TOÑI: Yo soy el punto y mi madre es el círculo grande. Me aprisiona.
ÁNGELA: ¿Qué crees que te ayudaría a salir de ese círculo?
TOÑI: Creo que hablar y salir me permitiría librarme del círculo.

Le cuesta decir lo que siente y al preguntarle por este tema responde:

TOÑI: Si digo lo que pienso, los demás se enfadarán.
ÁNGELA: ¿Y qué ocurriría si se enfadaran?
TOÑI: Que dejarían de hablarme.
ÁNGELA: ¿Y qué ocurriría si dejaran de hablarte?
TOÑI: Que me sentiría mal y lloraría.
ÁNGELA: ¿Y qué sería lo más terrible de esa situación?
TOÑI: Que me da miedo quedarme sola.

Todo esto nos permitió plantearnos más a fondo la relación con su madre y pensé que sería interesante saber qué esperaba ella de su madre y qué creía que su madre esperaba de ella, y le propuse una tarea con el objetivo de que pudiera entender los procesos de construcción de su madre además de los suyos propios, que pudiera ponerse en la piel de ella:

Desde Toñi:

Yo quiero...
Poder ser más sincera con mi madre y no callarme tanto las cosas que me hacen daño, daño por guardármelas. Que no me cueste tanto dirigirme a las personas y para decir las cosas o pedir algo que me he ganado, como, por ejemplo, un domingo de fiesta. Yo quiero poder salir de dentro de mí, para poder hacer mi vida y no vivir siempre dentro de esta espiral que a veces tanto me enreda.

Yo siento...
Que a veces la cólera puede conmigo. Hay veces que me lleno de ira y puede más que yo, no es necesario que me ocurra algo en concreto, solamente llega, me invade y me pongo furiosa y a veces es más fuerte que yo. Entonces siento que algo me domina, aunque a veces he pensado que sólo se debe a una lucha interna que hay dentro de mí, que por una parte quiero luchar y ser fuerte y libre de mí misma, pero cuando me doy cuenta de que hay cosas que pueden causar tanto dolor sólo siento ganas de pegar, de romper o de hacer daño a esa gente mala. Y está la otra parte que sólo quiere vivir, ser libre, sentir, no obsesionarse con nada, no permitir que nadie dañe mi corazón y vivir tranquila.

Yo puedo...
Hacer lo mejor con mi vida y hacer lo que quiera con mis ideas, pero no podré hacerlo ni conseguirlo hasta que saque ese enredo que hay en mí.

Desde la madre:

Yo quiero...

Comprender mejor a mi hija, hay veces que no sé cómo tratarla, porque no sé por dónde va a salir. No sé cómo tratarla.

Yo siento...

Que sufre, porque a veces se arrincona para llorar a solas y a mí me duele porque ésa es mi hija y la he parido yo.

(Éstos son comentarios que le he escuchado decir a mi madre cuando hablaba un día con su hermana. Se suponía que yo estaba durmiendo.)

Este trabajo se retomó en las sesiones familiares y más adelante hacia el final de la terapia Toñi me dijo: «Creo que la puedo entender».

Proceso de cambio llevado a cabo por Toñi

Lo primero que deseo decir es que siento una gran admiración por Toñi, una mujer valiente donde las haya, y por todos los logros que consiguió en los dos años que trabajé con ella, pero también por los esfuerzos que había realizado a lo largo de toda su infancia y adolescencia y por todo lo que ha conseguido después, en estos últimos años.

Aunque creo que ella es la más indicada para valorar su experiencia yo, como espectadora de su proceso, expondré cómo he visto su evolución:

Quizá lo más significativo de todo haya sido recuperar las ganas de vivir —sin ese paso posiblemente los otros tampoco habrían sido posibles—. Y no sólo de vivir, sino de vivir de la mejor manera posible: cuidándose, saliendo a la calle relajada, mirando al frente, acercándose a otras personas y confiando en ellas, sintiéndose una persona valiosa, atreviéndose a tomar sus propias decisiones (cambiar de trabajo, irse a vivir con su pareja), haciendo planes de futuro (comprarse un piso, casarse con Salva), poniendo límites en aquellas relaciones que le perjudicaban, disfrutando más de las relaciones sexuales, cuidando su cuerpo, sintiéndose una persona valiosa, expresando lo que siente y necesita, comunicándose más con su familia y con las personas que para ella son significativas: «Antes necesitaba la opinión de los demás para todo y ahora puedo tomar decisiones yo sola. Ya no los necesito».

El segundo gran logro ha sido no permitir que los abusos y sus efectos dominaran su vida y su identidad. Atreverse a enfrentarse a su agresor —hasta donde fue posible— y, de esa forma, a todos sus miedos y fantasmas infantiles.

Creo que a medida que ha podido elaborar todas las emociones asociadas al abuso, muchas experiencias se han ido reduciendo (miedos, *flashbacks*, disociaciones, etc.), permitiéndole tener una mayor calidad de vida. También ha puesto en marcha recursos y alternativas para resolver conflictos, más eficaces y menos dañinos para sí misma. Finalmente ha logrado integrar el abuso como una parte más de su historia y su identidad y ha encontrado formas de convertir esa experiencia en un motor de su crecimiento personal. Escribir este libro es un ejemplo de ello.

Valoración personal

Mi experiencia trabajando con Ángela

Quisiera empezar diciendo que he hecho algunas cosas bonitas en mi vida, cosas buenas, y también me han pasado buenas cosas. Pero estoy segura de que de todo lo mejor ha sido hacer esta terapia con Ángela, con ella llevo casi dos años.

Aunque en un principio, cuando me dijo que esto iba a ser largo, me quedé destrozada porque pensé que ya era demasiado, valió la pena.

No ha sido nada fácil, ni al principio, ni a mitad e incluso casi al final no sigue siendo nada fácil, pero puedo confirmar que es una de las cosas que he hecho en mi vida —de principio a fin— de la que jamás me arrepentiré, de eso sí estoy segura.

Cuando empezamos fue algo horrible para mí, porque llegué destrozada, sólo pensaba en una solución rápida, la muerte, porque tenía demasiadas imágenes olvidadas que un poco antes de empezar la terapia empezaron a volver a mi mente, como un pozo de petróleo que se dispara sin control.

Empezamos a trabajar, seguían viniendo más imágenes, recuerdos, lo veía todo, todo lo pasado volvió a mi cabeza con una nitidez espantosa, pensamientos, sentimientos, sensaciones, etc. Recuerdo que hasta tuve una especie de regresión (no sabría llamarlo de otra manera). Empecé a comportarme como si tuviera 5 años, me sentía así, fue extraño (esto ocurría en casa), fuera de casa apenas hablaba, me daba miedo salir a la calle, hablar con la gente, no fue una buena época.

Ahora puedo explicar todo lo que pasó con más tranquilidad, sin miedo, con seguridad y confianza en mí misma. Trabajando duro, sí, pero he conseguido una vida entera. He aprendido a ser, a estar, he aprendido *a VIVIR.*

He conseguido mirarme a un espejo y no odiarme, a escucharme cuando hablo y no avergonzarme, a ser libre, independiente, a ser razonable conmigo misma. Ahora me quiero, me respeto, me puedo tocar sin miedo ni asco, me valoro y no dejo que nadie me haga lo contrario. Cuando salgo a la calle no voy mirando al suelo, siempre miro al frente, cuando estoy con alguien o me encuentro con alguna persona siempre tengo de qué hablar. Ya no soy apenas miedosa, soy más alegre que nunca, adoro mi vida y, sobre todo, ya no me hago daño, ni física ni psíquicamente.

Las cosas que he conseguido, todo, ser una nueva persona. Las cosas que no he conseguido creo que son tan pocas y tan pequeñas que no creo que valga la pena ponerlas.

Ahora con Salva, mi Jerry (mi perro) y mi casa simplemente soy feliz.

Por todo esto. Por mi nueva vida te doy las gracias, por ayudarme a ser feliz.

MI EXPERIENCIA TRABAJANDO CON TOÑI

> El paciente y el terapeuta se perciben como dos seres humanos que son intérpretes activos y tienen sus respectivas construcciones de la realidad que coinciden en algunos aspectos y difieren en otros. La terapia se concibe como un proceso dialéctico en el que la influencia es de carácter bidireccional, y el resultado de una terapia satisfactoria a menudo implica un cambio tanto en el paciente como en el terapeuta. Para experimentar a un paciente tal como es en un momento dado el terapeuta debe ser capaz de desprenderse de sus prejuicios acerca de ese paciente; al hacerlo, es muy posible que el terapeuta cambie.
>
> SAFRAN y SEGAL (1994)

> Poder compartir empíricamente el mundo de la otra persona implica también poder colocar nuestro propio mundo entre paréntesis y arriesgarnos a cambiar personalmente a través del contacto personal con alguien que es diferente de nosotros.
>
> VANAERSCHOT (1990), cit. en LIETAER (1991)

La historia de Toñi es, en ciertos aspectos, similar a la de muchas otras personas con las que he trabajado y, en cierto modo, es única. Compartimos muchas sesiones y casi dos años de trabajo. En este tiempo me he sentido una espectadora privilegiada de su proceso terapéutico y de sus cambios personales.

Imagino que, a lo largo de su carrera profesional, todos los terapeutas se deben de encontrar con personas que les impacten más que otras, pero es imposible oír el relato de una superviviente de abusos sexuales en la infancia sin que se te muevan muchas cosas por dentro.

Cuando conocí a Toñi me impresionó mucho la crudeza de su relato. Accedí a trabajar con ella, pero, durante las primeras visitas, pasé miedo. Por un lado, me aterraba la idea de que se suicidase y, por otro lado, la idea de hacerle daño. Sentía que había sufrido tanto que me preocupaba no sólo no poder ayudarla, sino que mi trabajo fuera contraproducente. Ella había realizado ya varios tratamientos psicológicos y psiquiátricos, y siempre te preguntas que si otras terapias no han funcionado, ¿por qué ésta sí?

Creo que a medida que yo me relajé y empecé a confiar en mí misma también ella se relajó. En ese momento pude centrarme en sus recursos y en sus capacidades y Toñi pudo empezar a confiar en mí. Desde mi punto de vista éste ha sido un tema clave en nuestro trabajo. A Toñi le costaba mucho confiar en otras personas y me parece que el hecho de haberlo logrado conmigo ha sido algo básico para poder trabajar todo lo demás.

Soy consciente de que me he involucrado mucho a nivel personal en esta terapia y he tenido que realizar un trabajo personal intenso para no quedar atrapada en mi propio torrente de emociones. Cuando te encuentras delante de una persona que ha sido victimizada, es fácil transgredir los límites de la relación terapéutica y asumir el rol de salvadora, algo que no habría sido útil para ella, ni para mí, ni para el proceso terapéutico.

Por otro lado, el trabajo con Toñi en particular y con supervivientes de abusos sexuales en general ha sido rico y cuestionador a la vez; un gran reto profesional y personal. Como profesional me he replanteado tanto las teorías con las que trabajo como la manera de llevarlas a la práctica. Me he enfrentado con mis propias limitaciones, con docenas de preguntas para las que no tengo respuesta y con tabúes que a veces he tenido que romper como la neutralidad terapéutica. Como persona y como mujer esta experiencia me ha hecho replantearme algunas de mis creencias básicas sobre las personas, sobre el sentido de la vida, sobre el sufrimiento, sobre el azar y la existencia, sobre el control y la falta del mismo, sobre las relaciones humanas...

Trabajando con supervivientes de agresiones sexuales he perdido la inocencia, la creencia de que existe un mundo justo, mi sensación de seguridad, de invulnerabilidad. Pero a cambio he ganado muchas cosas. Toñi me ha enseñado que las personas disponemos de recursos y de una gran capacidad para sobrevivir aun en las condiciones más adversas, que a pesar del sufrimiento uno puede mantener el sentido del humor, la esperanza y la ilusión por cosas pequeñas.

Tengo la sensación de que la he acompañado en un proceso que se había iniciado mucho antes de que llegase a terapia y ha continuado después de finalizarla: el proceso de sobrevivir al dolor, de dejar de ser una víctima y ser simplemente Toñi, con una historia en la que los abusos sólo son una parte de la misma, y no necesariamente la más importante.

En el tiempo que hemos trabajado juntas he sentido muchas de las emociones que ella sentía: miedo, inseguridad, dudas, rabia, impotencia, esperanza... A veces eran emociones claras y otras confusas que me han servido para conocerme a mí misma y para entender lo ligada que está mi faceta de terapeuta a la persona que soy.

Algunos momentos han sido especialmente duros, por ejemplo el intento de suicidio. No era el primer intento de suicidio al que tenía que enfrentarme, pero sí ha sido uno de los que más me han afectado. El suicidio siempre ha sido uno de mis grandes fantasmas, uno de mis grandes miedos como terapeuta y no fue sencillo encontrarme con Toñi en la sala de urgencias de un hospital. Pero esta experiencia también me ayudó a entender que los terapeutas no somos autores ni responsables de las decisiones que toman nuestros clientes.

También ha habido momentos muy emocionantes, como el día en que me leyó en una sesión la carta a Toñi niña en la que se me humedecieron los ojos...

Podría destacar muchos instantes de la terapia, muchas anécdotas o muchos detalles que fueron importantes. Pero hay uno que me emociona cada vez que lo recuerdo, y es el gran amor y lealtad que Toñi demostró por su familia. Hay quienes creen que los niños no hablan de los abusos por desconocimiento o por miedo, pero pocos son conscientes del amor profundo que los niños sienten por su familia y de cómo, por lealtad, serían capaces de cargar ellos solos con el peso que fuera necesario.

Cuando su agresor le dice a Toñi que si habla de los abusos su padre puede morir o puede pasar algo terrible a su familia, en su amor infantil Toñi se dice: «Prefiero soportar este sufrimiento antes que ver cómo a alguien de mi familia le sucede algo». Por eso fue tan dolorosa la muerte de su padre, fue como sentir que todo su amor y todo su sacrificio no habían sido suficientes. Y creo que, justamente porque su sufrimiento viene del amor profundo, es también en él donde encuentra la fuerza para salir adelante.

Me sigue conmoviendo su valentía y su obstinación, su fuerza y su capacidad para encontrar soluciones creativas, su amor por la vida y por los animales, su capacidad para reír hasta en los momentos mas difíciles, su curiosidad insaciable y su generosidad, su capacidad de trabajo y su lucidez mental.

Delante de personas como Toñi la verdad es que siento un gran respeto. Creo que no sólo como terapeuta, sino también como persona le debo muchas cosas a ella y a este proceso terapéutico que hemos compartido y en el que siento que ambas hemos crecido. Para mí ha sido una gran maestra y le agradezco de corazón todo lo que me ha enseñado. Ha sido un gran privilegio poder acompañarla todo este tiempo.

4

Para familiares, parejas, amigos y profesionales[1]

Si tienes contacto directo con algún superviviente de agresiones sexuales es posible que el hecho de saber de la agresión haya tenido un gran impacto para ti. Quizá te asalten dudas, preguntas sobre lo que le ocurre o sobre cuál es la mejor forma de ayudarle. Leer el capítulo 1 seguramente te ha facilitado información que puede ser de tu interés. Sin embargo, en este capítulo encontrarás algunas sugerencias específicas sobre lo que puedes hacer tú en esa situación.

Este libro está dedicado única y exclusivamente a las experiencias de supervivientes adolescentes y adultos, de manera que si te encuentras con un abuso infantil que se está produciendo en la actualidad debes tomar otras medidas. Es recomendable que busques información específica sobre el trabajo con niños que sufren abusos; te puedes dirigir a la Dirección General de la Infancia. Una de las diferencias básicas entre estas dos situaciones es que los niños no pueden tomar determinadas decisiones (las han de tomar sus padres o aquellas personas que tengan su tutela). En cambio, las explicaciones que encontrarás aquí están pensadas para situaciones en las que los supervivientes pueden decidir sobre su propia vida.

1. Los textos consultados para este apartado son Bass y Davis (1995) y Bean y Bennett (1993).

Éstas son algunas de las ideas que te pueden ayudar si conoces a algún superviviente:

- Respeta su ritmo. Escúchale si desea hablar y respeta su silencio si lo necesita. Cada persona necesita un tiempo distinto, y si tú vas más rápido que ella, se podría colapsar.
- Créela. Pocas personas inventan agresiones que no han sufrido. Si ha confiado en ti y tú dudas de su relato es posible que luego no se atreva a confiar en otras personas.
- Ten en mente que la responsabilidad de las agresiones *siempre* es del agresor.
- Busca información sobre agresiones sexuales si no dispones de la suficiente. Además de la que puedes encontrar a lo largo del libro, al final del mismo encontrarás bibliografía y direcciones de entidades a las que puedes dirigirte.
- Permite que muestre su dolor, tristeza, rabia, culpa, miedo, ansiedad, etc. Es normal que tenga esas reacciones y necesite expresarlas. A veces las emociones pueden ser muy intensas, pero no temas, eso es bueno para ella.
- Anímala a buscar ayuda si crees que la necesita. Una psicoterapia o un grupo de autoayuda pueden ser de gran utilidad.
- Pide ayuda tú si ves que la situación es muy grave (si manifiesta ideas suicidas, problemas alimentarios, algún tipo de adicción u otro problema de gravedad), pero respetando sus decisiones. No se puede ayudar a alguien en contra de su voluntad.
- Muéstrale tus sentimientos por lo sucedido, pero no dejes que tus emociones ahoguen las suyas. Las supervivientes son grandes cuidadoras, si tú muestras excesivamente tu malestar ella dejará su dolor a un lado para cuidar el tuyo. No dejes que se inviertan los papeles.
- Mírala como a una superviviente, no como a una víctima.
- Si necesita explicar algunas cosas una y otra vez, permíteselo. Si te cuesta hacerlo pregúntate si eso tiene que ver con ella o contigo; quizá seas tú quien no puede tolerar su sufrimiento.

Eso no es bueno ni malo, pero es mejor que le digas: «Me duele escucharte» en vez de: «Explicar las mismas cosas una y otra vez no te sienta bien».

- Callar no ayuda a resolver una agresión ni a olvidarla, más bien todo lo contrario.
- Si se trata de una agresión reciente, respeta sus deseos de denunciar o de no hacerlo. Pero es bueno que la animes a que se haga una revisión médica (para descartar contagios y embarazos).
- No hace falta que le des respuestas ni soluciones. Si la puedes escuchar con empatía y sin prejuicios, ella encontrará sus propias opciones.
- Si se trata de un superviviente hombre —además de todo lo anterior— piensa en el coraje que ha tenido que reunir para explicarte lo que le sucede y los prejuicios sociales con los que se ha tenido que enfrentar: «Un hombre nunca es la víctima», «Los hombres que sobreviven a una agresión sexual se vuelven perpetradores más tarde», «Los hombres que son agredidos son homosexuales», «Un hombre de verdad se dejaría matar antes de que le agredieran», etc.

  Dale todo tu apoyo y anímale a seguir adelante (buscar ayuda profesional, denunciar, participar en un grupo de autoayuda para hombres, etc.).

Si quien ha sufrido la agresión es alguien de tu familia vas a tenerte que enfrentar a una nueva imagen de la misma y, quizá, a cambios y crisis.

Si el superviviente es uno de tus hermanos

Si eres hermana o hermano de un superviviente puedes sentir confusión. Si el agresor también era alguien de la familia puedes sentir que tu afecto está dividido entre las dos personas y tienes que tomar partido por una de ellas, y ésa es una experiencia muy dolorosa.

También es posible que te sientas culpable porque le sucedió a ella y no a ti. La relación entre hermanos es tan estrecha que, cuando uno sufre una experiencia tan dolorosa, los otros hermanos sienten culpa porque el otro cargó solo con un peso tan grande. A veces un hermano se «sacrifica» por los demás para protegerlos, y lo suele hacer por amor. Si tú te atrapas en la culpa y el sufrimiento, entonces todo su esfuerzo no habrá servido para nada. Lo mejor que puedes hacer por ella es tomar lo que hizo como un regalo, agradecerle que lo llevara por ti y ayudarla en lo que necesite con el mismo amor que ella mostró por ti.

A veces recordar experiencias comunes es muy útil para ambos (quizá tu recuerdas detalles importantes que ella había olvidado, o le puedes confirmar sucesos de los que dudaba). Para muchos supervivientes poder compartir su abuso con algún otro hermano es muy reconfortante. Al hacerlo, algunos descubren que había otros hermanos que también sufrieron abusos en silencio.

Si también tú sufriste algún tipo de agresión y uno de tus hermanos te explica la suya, puede ser una confirmación para ti y una fuente de apoyo mutuo. Pero si no deseas hablar de lo sucedido o prefieres olvidar, puede que te moleste el deseo de otro hermano de explicar lo que le sucedió. Podríais pactar alguna solución que esté bien para ambos.

Aunque tú no hayas sufrido ninguna agresión, descubrir esta experiencia en tu familia también puede ser una crisis para ti. Quizá hay cosas que ya no las podrás seguir viendo de la misma manera y te puede llevar un tiempo aceptar esa nueva realidad. Si el agresor fue uno de tus padres (aunque no abusara de ti), implicará que tendrás que poner en orden tu forma de ver a la familia. Quizá cuentas con recursos para afrontar esa situación pero, si no fuera así, puedes buscar algún tipo de asesoramiento profesional.

Si fuiste tú quien agredió a uno de tus hermanos, tendrás que asumir la responsabilidad de lo sucedido. Cuando se produce un abuso entre hermanos, los padres de alguna forma están ausentes en la familia (puede ser una ausencia física pero, sobre todo, suele tratarse de una ausencia emocional); muchas veces son padres con historias personales muy duras. Si fuiste el agresor, seguramente también hay en tu historia cuestiones difíciles sin resolver y dolor acumulado. Pero que tu experiencia fuera difícil y tu comportamiento abusivo tuviera sus causas no elimina tu responsabilidad. Es posible que para sobrevivir te hayas negado lo sucedido y lo hayas arrinconado en un lugar apartado de tu memoria. La única forma de resolverlo es mirar de frente lo que pasó. De esta forma podrás reparar el daño que hiciste a uno de tus hermanos, el que te hiciste a ti mismo y quizá también el que otros te hicieron a ti. Si estás leyendo este libro, seguramente ya estás en ese proceso.

Si el superviviente es uno de tus hijos[2]

Como padres, es duro ver sufrir a un hijo y sentir que no puedes hacer nada para eliminar ese dolor. Ayudar a uno de tus hijos a recuperarse de una agresión sexual es un proceso lento y complicado para toda la familia. Es importante que te cuides y que dispongas del apoyo que necesitas, a través de amigos o familiares que te puedan escuchar y en quienes puedas confiar, a través de grupos de padres o de asociaciones dedicadas al trabajo con supervivientes y sus familias, leyendo libros que te ayuden a entender mejor lo que te sucede, etc.

Si el agresor era alguien en quien confiabas (vecino, amigo, etc.) o, peor aún, si es alguien de la familia, puedes sentir una gran decepción y mucha rabia. Quizá sientas un gran conflicto de lealtades y estés confundido respecto a quién creer. A veces las diferentes

2. Para designar los dos géneros utilizo el femenino «hija» para no repetir «hija» o «hijo», puesto que hay más niñas supervivientes que niños. También utilizo «madre» para designar a ambos padres, porque es más frecuente que el agresor sea el padre que la madre.

personas de la familia toman partido en una u otra dirección, y eso produce una sensación de pérdida aún mayor.

Si la agresión se produjo entre dos de tus hijos la sensación de división es tremenda: ¿por qué hijo tomar partido?, ¿cómo entender y aceptar lo que ha pasado? Quizá sientas una culpa muy grande, tanto que desees no creer al hijo o hija del que han abusado. Si te sucede esto te iría bien buscar asesoramiento profesional.

Si el agresor es uno de tus padres quizá tengas muchas cosas pendientes por resolver con ellos. Es posible que también tú vivieras abusos en tu familia y la agresión a uno de tus hijos te haga conectar con todo tu dolor y tu impotencia. Si es así es importante que lo resuelvas. Tienes que resolver tu propia experiencia antes de ayudar a tu hijo a resolver la suya. Si es tu caso, busca ayuda profesional. Incluso si no sufriste abusos, tienes que enfrentarte a un conflicto de lealtades entre tus padres y tus hijos y necesitarás mucha energía para resolverlo.

Si el perpetrador es tu pareja, toda tu vida puede cambiar con este descubrimiento. Te tienes que enfrentar a la traición de alguien a quien amabas y en quien confiabas. Es posible que todavía le sigas amando —y esto aún hace más doloroso todo—. Seguramente es más fácil enfadarte con tu hijo o hija que con tu pareja —y exige tomar menos decisiones y cuestionarse menos certezas—. Sin embargo, las víctimas de un abuso raramente mienten respecto a los abusos, y los agresores lo hacen constantemente. Los hijos son la parte más débil en los abusos y los que necesitan más protección.

Te pueden asaltar docenas de preguntas: ¿cómo es que no te diste cuenta de lo que sucedía?, ¿cómo es que, sabiendo que ocurría, te lo negaste a ti misma?, ¿qué podrías haber hecho de otra forma?, ¿qué ha sucedido en tu relación de pareja?, ¿qué te llevó a elegir a esa persona como pareja?, etc.

Es posible que te tengas que enfrentar a la culpa, al hecho de que no pudiste proteger a tu hija. No necesariamente favoreciste el abuso, pero tampoco pudiste impedirlo. Quizás esté enfadada contigo. Aunque tú no seas responsable de los abusos, todos los hijos esperan protección de sus padres. Esto es algo que puede ser pasajero si lográis hablarlo con calma. También tendrás que encontrar una forma de perdonarte. Es posible que, en su día, no pudieras hacer nada para impedir los abusos; sin embargo, todavía estás a tiempo de ayudar a tu hija y mostrarle tu apoyo.

Si de alguna forma facilitaste o toleraste el abuso vas a tener que enfrentarte a ese hecho y asumir tu responsabilidad. Si lo haces puedes ayudar mucho más a tus hijos y también a ti misma.

También es posible que sientas mucha rabia hacia tu pareja por lo que hizo, incluso deseos de venganza o sensaciones de amor y de odio a la vez. No es sencillo resolver esa situación. Aunque en la práctica es complejo, te ayudaría separar tu relación de pareja de la relación como padres. Haya pasado lo que haya pasado, tu pareja sigue siendo padre/madre de tus hijos. Si eres la madre siempre lo serás, pero él siempre será el padre (y viceversa si eres un hombre).

Algunas familias resuelven los abusos separándose. Otras lo hacen buscando una reconciliación y permaneciendo juntos (para ello hay que realizar un trabajo familiar que no siempre es fácil, en el que cada uno pueda asumir su responsabilidad, sobre todo el agresor).

Tanto si el agresor era de la familia como si era alguien muy cercano y en quien confiabas mucho, la sensación de traición puede ser tan grande que quizá desees vengarte, tomarte la justicia por tu mano, etc., y actúes como si la agresión te la hubieran hecho a ti personalmente. Algunas veces esto lleva a tomar decisiones precipitadas y a no tener en cuenta las necesidades de tu hija. Es lógico que sientas cólera y dolor, pero aun así tienes que pensar qué es lo mejor para ella. No la sacrifiques tú también, ni la fuerces a tomar decisiones que no desea tomar. Los supervivientes de agresiones sexuales muchas veces se sacrifican por la familia —callando durante mucho tiempo con la idea de evitar males mayores en la familia— a costa de su propio bienestar. Si te sientes muy desbordada o tienes dificultades para entender lo que te sucede, busca ayuda profesional.

Si fuiste tú el agresor tienes que asumir la culpa. Algunos agresores dicen: «Vale, lo siento. Borrón y cuenta nueva». Pero lo que se hace no se puede deshacer y eso es algo con lo que tienes que vivir. Si abusaste de uno de tus hijos —incluso aunque te arrepientas de lo que hiciste— tienes que asumir esa responsabilidad. Tus acciones han tenido consecuencias. Si lo haces no sólo será bueno para tus hijos, sino también para ti, porque de esa forma es como si le dijeras a tu hija: «Yo cargo con las consecuencias y tú quedas libre, eres inocente». De la otra forma, le sigues pidiendo a tu hija que siga cargando con parte de la responsabilidad y eso es como seguir manteniendo parte del abuso (Hellinger y Ten Hovel, 2000). Abusar no sólo tiene que ver con la parte sexual, sino también con el engaño, la manipulación y el abuso de poder.

Si estás leyendo estas líneas es porque, seguramente, has podido asumir buena parte de la responsabilidad de las agresiones. De todas formas no es una tarea sencilla y quizá necesites ayuda profesional. Si lo logras, también eso puede ser enriquecedor para ti y para tu familia (incluso aunque la relación se haya roto).

Si el superviviente es tu pareja

No es fácil ser pareja de una superviviente. Es posible que te debatas entre la impotencia, la pena y el deseo de venganza. También puede que te asalten dudas respecto a qué hacer, cuánto va a durar su dolor, por qué tu pareja tiene reacciones tan extrañas, por qué se enfada contigo sin motivo, si es mejor hablar o callarte, por qué desconfía de ti, etc. Pero las dudas no sólo se refieren a ella, también puede que tú te sorprendas de tus propias reacciones: si sientes mucha rabia contra el agresor, te impacientas cuando tu pareja no desea tener relaciones sexuales, te asaltan dudas respecto a cómo tratarla o sus reacciones te hacen desenterrar viejas emociones tuyas en las que hacía tiempo que no pensabas... Ser pareja de una superviviente comporta dificultades, pero también la posibilidad de un gran crecimiento para ambos.

Si la agresión es reciente y se ha producido cuando ya erais pareja es posible que te sientas culpable por no haberla podido proteger, o que en el fondo de ti te cueste creer que realmente no lo deseaba y te preguntes si no se pudo defender más, por qué no te hizo caso y fue (a aquel lugar, sola a aquellas horas de la noche, etc.). Incluso es posible que te sientas estafado porque, de repente, se ha convertido en una persona completamente diferente de aquella que tú conocías.

Qué duda cabe de que la agresión sexual de tu pareja puede suponer mucho dolor para ti. Incluso es posible que tú también experimentes reacciones traumáticas (pesadillas, intranquilidad, rabia, culpa, estado de alerta constante, problemas para dormir, etc.).

Éstas son algunas ideas que te pueden ser de utilidad:

- Pregúntale qué necesita.
- Respeta su tiempo, no se puede forzar a alguien a avanzar en sus emociones y en sus experiencias personales más rápido de lo que puede ir. El ritmo de cada persona es único.
- Expresa cómo te sientes tú con franqueza, pero no dejes que tus emociones anulen las suyas. Si muestras un gran malestar es posible que ella bloquee el suyo para cuidar de ti (es lo que le han enseñado, que sus necesidades son menos importantes que las de los demás).
- No obstante, para que una relación de pareja funcione tiene que haber un equilibrio. Aunque cuides de ella y respetes sus necesidades, también es importante que ella respete las tuyas. Lo mejor sería que pudierais exponer cada uno lo que le hace falta y que pudierais encontrar un punto medio. Por ejemplo, quizá durante un tiempo ella necesite no tener relaciones sexuales, pero tú estás bien, no tienes ninguna dificultad y sigues necesitando intimidad y sexo. De forma que, para que la relación no se rompa, tendréis que encontrar un punto medio que sea bueno para ambos.
- Si necesitas hablar de cómo te sientes respecto a sus abusos pero ella no desea o no puede escucharte, busca a otra persona de confianza (dado que se trata de su intimidad pídele permi-

so primero y clarificad qué información te permite revelar y cuál no).

- Busca información sobre las agresiones sexuales que te permita entender mejor lo que os está sucediendo. Al final del libro encontrarás algunas referencias bibliográficas.
- Si te desborda la situación pide ayuda para ti y, si ves que tu pareja la necesita, búscala también para ella. A veces realizar algunas entrevistas conjuntas con un psicoterapeuta os puede ayudar a encontrar más comprensión y entendimiento mutuo.
- Si sientes mucha rabia o deseos de venganza, respira hondo y considera que no es a ti a quien han agredido, sino a ella. A veces la pareja siente una rabia mayor que la superviviente y puede generar en ella sentimientos de culpa. Algunas supervivientes incluso llegan a manifestar dudas por haberlo explicado: «Si no le hubiera dicho nada no andaría todo el día tan enfadado», «Me asusta que se meta en un lío, a veces dice que matará a mi agresor y creo que lo dice en serio. Tengo miedo».

  ¿Cómo son tus sentimientos al respecto?, ¿qué es lo que te provoca tanta rabia? Pregúntate qué hay en tu vida y en tu historia que te hace sentir tanta rabia ante la agresión de tu pareja.

  Aunque te duela mucho, la víctima fue ella, no tú. Tu rabia es legítima, pero hay formas de exteriorizarla que es posible que no os beneficien a ninguno de los dos. Busca formas de canalizarla (algunas de las sugerencias del capítulo 1 te pueden ayudar también a ti).
- Si continúa teniendo relación con el agresor, porque es un conocido o alguien de la familia, puede que te genere malestar o incomprensión. No pienses que algo es erróneo sólo porque tú no lo entiendes. Los lazos que unen a las personas de una misma familia son estrechos y complejos. A veces se pueden establecer relaciones de amor y odio al mismo tiempo. Y si lo que necesita es cortar la relación, pues también está bien. Es importante que respetes su forma de relacionarse con su familia y que ella respete tu forma de relacionarte con la tuya.

- No la culpes por lo sucedido. Ninguna superviviente es responsable de las agresiones.
- Trátala como a una superviviente, no como a una víctima y valora todos sus recursos y esfuerzos por salir adelante.
- Es posible que la agresión no haya interferido en vuestra vida durante años y, de pronto, alguna situación o circunstancia haya generado una reacción intensa y un estado de crisis que os desborde a los dos. A veces no es fácil de tolerar, pero si sois pacientes y lo afrontáis juntos puede fortalecer vuestra relación.
- Mientras se enfrenta a los recuerdos y al dolor de la agresión, quizás en algún momento reaccione de manera extraña, huidiza, enfadada, con llanto, etc. Es importante que entiendas que su reacción no tiene nada que ver contigo, sino con su proceso interno.
- Quizá te has preguntado alguna vez qué haces con una superviviente como pareja, qué hay en tu historia personal que te ha traído hasta donde estás. Por ejemplo, algunas personas tenían un rol de cuidadores en su familia y buscan como pareja a personas con dificultades para cuidarlas y no tener que pensar en sí mismas. Algunos psicoterapeutas dicen que las experiencias de nuestra infancia son tan significativas que, de adultos, en nuestra relación de pareja repetimos una y otra vez dichas experiencias. También solemos repetir patrones de la relación de nuestros padres (muchas veces sin ser conscientes de ello). Por esta razón la relación de pareja también es el marco privilegiado en el que podemos «sanar» o poner en orden nuestra propia historia.

  Quizá puedes preguntarte qué puedes aprender tú en esta relación y qué cosas podéis aprender como pareja.
- La comunicación es para una relación de pareja como el agua para las plantas. Es el alimento que la mantiene viva y sana. Para que la comunicación funcione tiene que basarse en el respeto mutuo. Si se utiliza el diálogo para acusar al otro o culparle de las propias carencias, sólo se logra generar resentimiento y

malestar. Pero si cada uno se puede hacer responsable de lo que siente, las conversaciones pueden ser muy fructíferas. El psiquiatra alemán Otto Brink (2004) utiliza el diálogo abierto —técnica creada por Moeller (1986, 1988, 2002)—, que facilita mucho la comunicación, no sólo a nivel consciente, sino también a nivel inconsciente. Explico brevemente esta técnica para que podáis probar:

Necesitáis un lugar tranquilo en el que no vayáis a tener interrupciones y 90 minutos para realizarlo. Os sentáis frente a frente, a la distancia en la que os encontréis cómodos, de forma que os podáis mirar a los ojos. Dividís el tiempo en fracciones de 15 minutos. Quien escucha tiene en la mano un reloj para controlar el tiempo y el otro puede hablar durante 15 minutos. Luego se intercambian los papeles (el que habló antes ahora escucha y controla el tiempo y el que escuchó tiene un cuarto de hora para hablar). Y así sucesivamente. Cuando acaba el tiempo hay que parar al otro, aunque le dejes a mitad de frase (cuando vuelva a ser su turno podrá continuar). Cuando es tu turno de escucha no puedes decir nada ni interrumpir al que habla.

En el turno de palabra no hay por qué responder a lo que dijo la pareja. Cada uno habla de sí mismo y elige el tema del que desea hablar. Pero sólo puedes hablar desde ti, haciéndote responsable de lo que sientes. Por ejemplo, no le puedes decir a tu pareja «cuando lloras me pones de los nervios», sino «cuando lloras yo me siento nervioso» (porque tus nervios son algo tuyo, no de tu pareja. Lo que siente cada persona es responsabilidad suya).

- Es importante que puedas pedir lo que necesitas y saber dónde está tu límite en el cuidado de la otra persona. Que haya un equilibrio entre lo que das y lo que recibes (Weber, 1999). Si le das mucho a tu pareja y ella no te da casi nada vuestra relación se desequilibrará. En ese caso, en vez de pedir que te dé más (si no lo hace seguramente es porque no puede), podrías darle tú un poco menos; así se sentirá más cómoda y menos en deuda contigo. Si tú le das mucho y ella no te puede corresponder es posible que sienta mucha rabia. O si tú la cuidas pero no permites que ella te cuide a ti, es posible que se aleje.

- Los momentos de crisis, cuando vuelven los recuerdos, las pesadillas, los *flashbacks*, etc., pueden ser difíciles. Tendrás que tener paciencia y pedirle que te diga cómo la puedes ayudar. Ella sabe mejor que nadie lo que necesita.
- Es posible que ella tenga mucha necesidad de controlarlo todo (las cosas de casa, los horarios, sus emociones, etc.). ¿Cómo lo vives tú?, ¿es algo que te angustia? Ésta es una reacción muy habitual en supervivientes, porque mientras se produjo la agresión no tuvieron ningún control sobre su vida y sentir que lo tienen todo controlado les da seguridad. Además, para muchas de ellas el control fue una estrategia de supervivencia (por ejemplo, es posible que estar pendientes del agresor y de sus movimientos les permitiera en ocasiones escapar de los abusos). Por último, en momentos de crisis, controlar todo lo externo (horarios, lugares, etc.) ayuda a mantenerse centrado en la realidad.
- La confianza también puede ser un tema delicado en vuestra relación. Quizá le cuesta confiar en la gente y, especialmente, en los hombres. Es lógica su desconfianza. Sin embargo, lo que más puede ayudarla a confiar en ti es que seas sincero. Los supervivientes suelen ser muy sensibles en este aspecto y detectan las incoherencias con rapidez. Pero si eres franco, ella podrá aprender a confiar en ti. Algo que también puede ayudaros mucho es que cumplas los compromisos; si no te puedes comprometer con algo, es mejor que lo digas desde el principio.
- Si estando contigo conecta con el abuso, ayúdala a centrarse en el presente. Una forma de hacerlo es hablarle y recordarle dónde está, ofrecerle algún objeto familiar que la ayude a centrarse, darle la mano y pedirle que se ponga de pie o sentada

pero con la espalda recta, el pecho abierto y los pies apoyados en el suelo, pedirle que te mire a los ojos y que se centre en ti. Si es una experiencia muy intensa, antes de tocarla díselo: «Te voy a tocar» o «Te voy a coger de la mano» (de lo contrario puede ser molesto para ella). Si este tipo de experiencias las tiene con cierta frecuencia puedes preguntarle cuando esté tranquila qué la ayudó más en las otras ocasiones y podéis probar la siguiente vez. Lo importante es que mantengas la calma hasta que pase la crisis.

- Algunas veces las supervivientes encuentran parejas que de una forma u otra son abusivas. Si te das cuenta de que ése es vuestro caso, sería muy recomendable que buscarais ayuda.
- Las relaciones sexuales pueden ser un tema especialmente delicado. Si tu pareja no desea mantener relaciones sexuales, si hay comportamientos que no soporta, si necesita tomar la iniciativa o mantener el control todo el tiempo, quizás haya cuestiones que debáis pactar de forma que se respeten también tus necesidades.

Si conecta con algún aspecto del abuso en medio de una relación sexual lo mejor es interrumpirla y poder hablar de lo que está ocurriendo. Si su reacción es muy intensa, o incluso si llega a confundirte con el agresor, tienes que ayudarla a reconectarse con el presente (tal como he explicado anteriormente).

Si se desconecta de la relación sexual con facilidad y sientes que es como si no estuviera, no pienses que es porque no te desea o no tiene interés en ti, seguramente es porque el sexo es muy amenazador para ella. En estas ocasiones la puedes ayudar hablándole y manteniendo al máximo el contacto ocular (de esta forma le resultará más difícil desconectarse). De todas formas, pregúntale a ella qué es lo que más la ayuda.

Quizá tu pareja haya tenido relaciones anteriores en las que el sexo no era un problema, incluso relaciones esporádicas. Eso te puede llevar a pensar que no eres importante para ella o que no te quiere lo suficiente. Probablemente sea todo lo contrario. Para muchos supervivientes es relativamente fácil mantener relaciones sexuales si no hay amor, si es sólo sexo. En cambio, si quieren a la persona con la que están, empiezan a sentir emociones y eso se vive como peligroso: «Si puedo sentir amor y placer también podré sentir dolor». No suele ser algo consciente ni que ellos elijan. Para muchos supervivientes el miedo a sufrir es tan intenso que bloquean todas las emociones.

- A pesar de todo vuestro esfuerzo, de vuestro empeño por buscar soluciones, puede que no las encontréis o que te canses de esperar a que tu pareja ponga en orden su vida y elabore el abuso. Algunas personas no se separan por miedo a causar dolor en el otro, por sentimientos de culpa, etc.: ¿qué te ha llevado a ti a decidir seguir con ella?, ¿qué aporta esta relación a tu vida? Asegúrate de que te quedas por ti mismo, porque tú lo deseas (sólo así valdrá la pena). Si asumes tu decisión no la responsabilizarás a ella de las dificultades que encontréis en el camino.
- Es posible que en un momento dado decidas dejar la relación. Como en cualquier otra pareja, si lo podéis hacer de mutuo acuerdo será mejor para ambos. Si tu pareja está pasando por un momento de crisis tal vez no sea la mejor situación para plantear una ruptura; ¿puedes esperar a que las cosas estén un poco más calmadas?, ¿cómo lo podrías plantear de forma que sea lo menos doloroso posible para ambos?
- Si la agresión se ha producido recientemente, cuando ya erais pareja, es muy posible que ambos hayáis entrado en crisis. Cualquier acontecimiento inesperado (accidente, enfermedad, etc.) crea dificultades en una familia. Si, además, el suceso es provocado por otra persona, las dudas, las preguntas, los miedos, etc., pueden ser mayores. A veces este tipo de situaciones separan a las personas. Por eso es importante que podáis hablar de lo que os sucede, el silencio puede ser peligroso.

A veces la relación no está en su mejor momento cuando se produce una agresión y ésta es el detonante que acaba con la pareja. Aceptarlo y terminar de la mejor manera posible puede ser lo más saludable.

- Si tenéis hijos las cosas cambian. Los niños necesitan atención y cuidados por parte de los padres. Pero a veces los padres están tan inmersos en sus propias dificultades que no pueden asumir plenamente sus tareas de padres. En el caso de madres o padres supervivientes esto puede ser una realidad. Estar con los hijos puede despertar a su niño interno y con él el dolor de los abusos sufridos en la infancia. Eso puede significar que tienes que asumir el peso de la crianza de vuestros hijos por un tiempo.
- Si tu pareja es un hombre superviviente, su dolor puede estar muy enterrado y sus dificultades para mostrarlo pueden ser enormes. Suele decirse popularmente que «los hombres no lloran» y eso es algo que el género masculino tiene muy interiorizado (son muchos siglos de aprendizaje). Puede que tenga un miedo enorme a mostrar lo que le sucede, a sentirse vulnerable, quizá lo esconda detrás de una enorme coraza... Respeta su dificultad y dale su tiempo.
- Mira a tu pareja como a la persona valiente que es por afrontar su vida lo mejor que sabe. También tú lo eres por estar a su lado. Y si has decidido dejar la relación con franqueza, eres valiente por tu sinceridad.

Si trabajas con supervivientes

Los seres humanos nos podemos enfrentar a situaciones terribles (enfermedades, accidentes, catástrofes naturales, etc.), pero pocas tienen el impacto que supone encontrarse de frente con la violencia y sus efectos. Cuando el sufrimiento que siente la persona que tenemos delante está provocado por otra persona, sobre todo si es algo que sucedió en la infancia, las emociones que despierta son muy intensas.

Ante estas situaciones a veces nos sentimos confundidos, desbordados y sin saber cómo responder. Podemos entrar en el rol de salvadores, perdiendo el sentido de los límites e involucrándonos de forma excesiva o, todo lo contrario, poniendo una defensa, minimizando la agresión y sus consecuencias para la víctima. Como dice Enrique Echeburúa en su libro *Superar un trauma* (2004), no siempre es fácil encontrar el punto medio cuando se trabaja con experiencias traumáticas.

A veces no disponemos de los recursos, la información o los conocimientos necesarios para responder a la demanda de nuestro cliente. Otras, trabajar con supervivientes nos confronta con experiencias no resueltas de nuestra propia historia. Lo que es bien cierto es que trabajar con supervivientes de agresiones sexuales no deja indiferente a ningún profesional. A veces es como subirse a una montaña rusa: encontrarse con altibajos constantes, cambios de estados de ánimo, personas que viven constantemente al límite. Significa estar dispuesto a trabajar con lo impredecible, con lo incierto. En general, es un área de trabajo que nos asusta a los profesionales porque significa entrar en el lado más oscuro del alma humana, hacernos muchas preguntas para las que no siempre tenemos respuesta y tener que revisar algunas de nuestras creencias más básicas sobre el mundo y las personas.

Si te dedicas a alguna profesión de ayuda, en tu trabajo de alguna forma está comprometida toda tu persona (tu historia vital, tu origen familiar, tus creencias, tus valores, tu moral, tus emociones, tus pensamientos, tus prejuicios, tu cuerpo, tus conocimientos, tus limitaciones... en fin, todo lo que tú eres). Si trabajas con personas sometidas a experiencias traumáticas graves, que han perdido la confianza en los demás y en la vida, aisladas y desconectadas, no puedes trabajar desde la distancia. Cada vez hay más expertos que están de acuerdo en que lo verdaderamente sanador es la relación y, en el caso de trabajar con supervivientes, la relación terapéutica es fundamental. Sólo a través de las relaciones puede recuperarse la confianza en los otros y sanar las viejas heridas.

Dado que hay tantas formas de trabajar con supervivientes y todas ellas pueden ser válidas, me voy a centrar en cuatro cuestiones que creo que son importantes en este ámbito, independientemente de la forma de trabajar que tengas o de tu formación teórica:

- La relación terapéutica.
- Clarificar la demanda.
- Construir espacios seguros.
- El cuidado del profesional.

Si no tienes experiencia en el trabajo con supervivientes, espero que estos apartados te puedan aportar alguna idea útil. Si ya trabajas en este campo, será sólo una breve revisión. En todo caso, espero que encuentres ideas que te sirvan para reflexionar y te permitan encontrar tus propias respuestas.

La relación terapéutica

Hace tiempo que se sabe, y se ha confirmado a través de diferentes investigaciones y estudios, que la relación terapéutica es uno de los elementos clave en cualquier proceso terapéutico. En el caso del trabajo con experiencias traumáticas, en las que los sentimientos de aislamiento y desconexión son tan grandes (Herman, 2004), la recuperación sólo tiene lugar en el contexto de las relaciones. Cuando la persona se conecta con otras, recrea las facultades psicológicas que fueron dañadas o deformadas por la experiencia traumática (facultades básicas de confianza, iniciativa, competencia, identidad e intimidad).

A veces es una tarea que puede ocupar varias sesiones —dependiendo de las características del cliente y de su estado—. En el caso del trabajo con supervivientes de agresiones sexuales, lograr una buena relación puede llevar mucho más tiempo.

La mayoría de supervivientes han vivido mucho tiempo rodeados de secretos, escondiendo su dolor y su realidad más profunda. En muchos casos, el silencio también ha sido lo que les ha mantenido vivos, no sólo en el sentido literal, sino también metafórico; no hablar de lo que sucede a veces es la única forma de poder seguir adelante con la vida, de no desmoronarse.

Muchos supervivientes han sido agredidos por aquellas personas a las que más amaban: uno de sus padres, un hermano, una pareja, etc. Por lo tanto, desconfiar puede que haya sido una de sus mejores estrategias de supervivencia. No es de extrañar que les cueste confiar en un terapeuta, y es bueno que desconfíen hasta que se sientan seguros —incluso es posible que te pongan a prueba—. Pero lo cierto es que, si logras establecer una buena relación terapéutica con tu cliente, el resultado del trabajo será positivo.

A veces los supervivientes no explican que han sido agredidos hasta que no tienen mucha confianza con su terapeuta. Algunos muestran una actitud fría y distante porque las relaciones de confianza y de intimidad son muy peligrosas: «Aquellos en quienes confías te pueden hacer daño». Otros caen en el extremo opuesto: explican todos los detalles de su vida a cualquiera. Han aprendido a no protegerse, a ponerse en situación de riesgo constante. Es como si estuvieran repitiendo, a diferentes niveles, la situación abusiva constantemente. En el fondo de sí mismos parece que se digan: «Esto me lo merezco» y van poniendo a prueba constantemente su creencia.

Dado que una agresión sexual es una experiencia de descontrol —la vida y el cuerpo de la víctima están en manos de su agresor—, es importante que en terapia le devuelvas el control a la superviviente, de forma que las decisiones sean consensuadas. Incluso si tienes que tomar decisiones drásticas (por ejemplo, su vida está en peligro y consideras que se tiene que hacer una reunión con la familia, proponer un ingreso hospitalario, etc.), es bueno que lo hables con ella. Si no, de alguna forma estarás repitiendo el abuso de nuevo, ella sentirá que se toman decisiones sobre su vida y que su opinión no cuenta (aunque se tomen con la mejor de las intenciones).

Una forma de devolver el poder a la superviviente es respetar su ritmo, no ir más rápido de lo que ella puede ir ni forzarla a abordar temas para los que no está preparada. Yo a veces he encontrado a supervivientes que podían pasar meses de terapia sin mirarme a los ojos, o sentándose en un rincón de la sala mirando al suelo. Está bien respetar a la persona con sus necesidades, sin forzarla, entendiendo que si actúa de esa forma debe de ser por alguna razón.

Los supervivientes de abusos en la infancia suelen ser expertos en detectar el rechazo, dominan a la perfección la comunicación no verbal, así que tendrás que ser cuidadosa con lo que dices y también con lo que callas. Por esta razón es importante que trabajes con franqueza; en cuanto haya incoherencias entre los mensajes verbales y los no verbales los notará.

Otro aspecto importante es poder establecer una relación igualitaria con tu cliente. Tú conoces diferentes estrategias para afrontar problemas, pero ella es experta en sí misma y es ella quien ha logrado enfrentarse a la agresión y sobrevivir, por lo tanto tiene recursos para tomar decisiones y afrontar su vida. Respetar sus capacidades es algo fundamental. Suele ser positivo crear una relación de colaboración en la que ambas partes os esforcéis por crear una relación de trabajo útil para la superviviente.

Algunos supervivientes han sufrido abusos terribles en sus familias, creciendo en ambientes impredecibles y sin un sentido de los límites personales (ni de su espacio ni de su propio cuerpo). A veces, siendo ya adultos, tampoco pueden respetar el espacio de los demás mostrando actitudes invasivas o provocadoras en su relación con los otros. Por esta razón es importante que en terapia se establezcan unos límites claros y se mantengan. En cuestiones como la duración de las sesiones, el precio, cuándo estarás disponible y de qué forma. Si aceptas estar disponible siempre, le estás diciendo implícitamente a tu cliente que no se puede valer por sí misma ni confiar en sus recursos. También le estás diciendo que tú no puedes cuidar de tus espacios de vida privada ni de tus propias necesidades.

Las actitudes provocadoras muchas veces vienen en forma de mensajes corporales sobre los que la persona no tiene ninguna conciencia. Otras veces son proposiciones claras y abiertas y tienen que ver con que la persona sólo se sintió valorada a través del sexo y siente que ésta es la única forma en la que alguien la puede reconocer (incluido su terapeuta). Estas cuestiones hay que abordarlas de forma delicada pero clara para evitar confundir a la superviviente más de lo que ya pueda estarlo.

Confía en los recursos de tu cliente, si tú puedes crear un espacio seguro en el que ella pueda explorar sus vivencias sin miedo, encontrará sus soluciones. Los supervivientes saben lo que necesitan, sólo les hace falta disponer de las herramientas adecuadas para alcanzar sus objetivos.

También hay que aceptar los propios límites como profesional. Aceptar las limitaciones con franqueza también puede ser terapéutico. Es mejor decirle a alguien: «No te puedo ayudar más» que decirle: «Te resistes a cambiar».

Hay ciertas situaciones que pueden hacer difícil la relación terapéutica o que, al menos, vale la pena tener en cuenta:

1. La relación que tiene la superviviente con el poder. Algunos supervivientes entran fácilmente en conflicto con las figuras de autoridad (en este caso representada por el terapeuta), porque es el tipo de relación que establecieron en su infancia con el abusador, que también era una figura de autoridad.

   Puede ser que la superviviente busque en el terapeuta un salvador y se cree unas expectativas muy idealizadas sobre ti o lo que le puedes ofrecer como terapeuta. En esta situación, lo hagas como lo hagas no será nunca suficientemente bien. Eso implica no crear expectativas poco realistas ni relaciones de dependencia con el terapeuta.

   Otras veces la superviviente puede sacar toda su rabia con el terapeuta (la que en realidad alberga contra el agresor). Hablar de estas cuestiones abiertamente suele ser muy eficaz.

2. Encontrar la distancia terapéutica óptima.[3] Debido a la intensidad de emociones que se mueven en este tipo de terapias es fácil involucrarse emocionalmente en exceso o poner demasiada distancia emocional. Ninguna de las dos actitudes es de mucha utilidad. La primera impide a la superviviente entrar en contacto con sus recursos y resolver su vida de forma saludable. La distancia emocional excesiva no permite conectar con el sufrimiento de la superviviente y, de esta forma, es difícil que se sienta comprendida. A veces cuesta encontrar el punto medio en el que puedes comprender el dolor de la superviviente sin hacerlo tuyo, respetando sus recursos y sus tiempos.
3. La «reescenificación del abuso». Por ejemplo, cuando el terapeuta sin ser consciente se identifica con el agresor y repite la pauta del abuso en la terapia. Esto es fácil que suceda porque muchas veces las supervivientes se han quedado enganchadas en el rol de víctima indefensa y tienen dificultades para protegerse. Algunas veces incluso propician las agresiones, confirmando su culpa: «Soy yo la mala y por eso me lo merezco». La culpa es muy dolorosa, pero al menos da cierta sensación de control: «Si las cosas pasan porque yo soy mala, al menos puedo hacer algo para cambiarlo», frente a: «Si las cosas han sucedido por puro azar, entonces no hay nada que yo pueda hacer para evitarlo en el futuro; todo es impredecible».
4. Cuando el terapeuta se identifica con la víctima. Con este tipo de identificación se puede llegar al extremo de indignarse con la superviviente por no estar suficientemente enfadada con el agresor y por no cumplir las expectativas del propio terapeuta.

Para evitar ambos tipos de identificación es importante estar alerta y realizar un trabajo constante de autoobservación de forma que puedas utilizar estas situaciones, cuando sucedan, como indicadores para avanzar en la terapia en lugar de cómo obstáculos.

3. Para el lector interesado recomiendo leer Leitner (1996).

5. Por último, las supervivientes suelen ser grandes cuidadoras (sobre todo las que han sufrido abusos crónicos). A lo largo de su vida han recibido el mensaje de que sus necesidades no eran importantes. Por ello, muchas veces se dedican a cuidar al terapeuta invirtiendo los roles en la terapia. Fíjate para no entrar en esa inversión de roles y si sucede en alguna terapia algo así, señalárselo a la superviviente resulta muy terapéutico.

Clarificar la demanda

Algunas ideas que te pueden ayudar a clarificar la demanda son:

1. Decidir conjuntamente cuáles serán los objetivos de la terapia. Es importante que la superviviente sea autora de su propio proceso terapéutico, que no sea un proceso impuesto por el terapeuta. Hay que plantearse objetivos razonables y realistas. Si os planteáis objetivos que la superviviente no puede alcanzar se puede sentir muy frustrada y culpable por haberte defraudado y es posible que te enfades contigo misma o con ella por no haber cumplido con tus expectativas. Eso es repetir el ciclo del maltrato en el que ya vivía.

   Tienen que ser objetivos claros, bien definidos y en positivo (centrados en la solución y no en el problema).

   Si tienes una planta y la cuidas, crecerá cada vez más; si no la riegas, morirá. De la misma forma, si alimentas la solución, ésta crecerá cada vez más, pero si alimentas el problema es éste el que se volverá más grande cada vez.
2. ¿Qué lugar ocupa la agresión en la demanda de la cliente?:

   - Si la agresión es el motivo de la demanda quiere decir que la persona es consciente de que esa experiencia ha influido en su vida y tiene que ver con el malestar que vive en la actualidad.

- Si la persona te consulta por otro tema y durante el tratamiento explica que ha sido víctima de una agresión sexual deberías pedirle permiso para trabajar sobre ese tema (si es que lo consideras necesario o tiene que ver con la demanda). Incluso aunque tú tengas claro que ése es un asunto importante, no es recomendable que lo abordes sin su permiso.

3. Hacer una valoración exhaustiva del estado de la cliente:

- Qué síntomas presenta la persona y gravedad de los mismos. No es lo mismo trabajar con una superviviente que presenta síntomas de Trastorno por Estrés Postraumático que con alguien que tiene un trastorno alimentario grave y precisa un ingreso hospitalario. Eso implica valorar con qué recursos cuenta esa persona y con cuáles no.
- Qué teoría del problema tiene la cliente. Qué es lo que cree que le ocurre. Éste es siempre un buen punto de partida. Dice Tom Andersen (1994) que, si introducimos cosas demasiado inusuales para nuestro cliente en la conversación, se cerrará y no avanzaremos. Se trata de ofrecer algo nuevo, pero no demasiado.

Establecer espacios seguros

Una agresión puede comportar una vivencia de profundo terror (sobre todo aquellas en las que la vida de la persona peligra). Alice Sebold, superviviente de una violación, lo explica en su libro autobiográfico *Afortunada*:

> En ese momento me entregué a él. Estaba convencida de que no saldría con vida. Ya no podría seguir forcejeando. Él iba a hacer conmigo lo que quisiera, eso era todo.

> Todo se hizo más lento. Él se levantó y empezó a arrastrarme por el pelo a través de la hierba. Yo me retorcía y medio gateaba, tratando de seguirle el paso. Desde el sendero había entrevisto la oscura entrada del túnel del anfiteatro. A medida que nos acercábamos a ella y me di cuenta de que era allí donde nos dirigíamos, sentí una oleada de pánico. Supe que iba a morir (Sebold, 2004, pág. 14).

También puede comportar una sensación de inseguridad respecto al propio cuerpo y a las propias reacciones emocionales. O respecto a las reacciones de los otros, a sus actitudes, etc.

Por esta razón, antes de poder trabajar la agresión sexual propiamente dicha muchas veces se tiene que establecer un contexto de seguridad para la persona, tanto dentro como fuera de la terapia. Hablar de la agresión puede generar muchas emociones y recuerdos difíciles de manejar. Si se aborda la agresión sin haber realizado este trabajo previo —sobre todo si es una persona con una situación precaria o que presenta síntomas graves—, se volverá a sentir de nuevo impotente y sin recursos delante de sus recuerdos y de su dolor. Es mucho más fructífero enfrentarse a los problemas desde los recursos que desde las carencias. Podríamos decir que establecer un contexto de seguridad significa que la superviviente pueda conectar con todas sus capacidades para protegerse tanto del exterior como de sus propias reacciones emocionales y cognitivas.

Seguridad en el contexto de la terapia

La seguridad dentro de la terapia va muy ligada a la relación terapéutica; se trata de lograr que el espacio terapéutico sea seguro para la superviviente, que se sienta cómoda y viva la relación con el terapeuta como una verdadera relación de ayuda.

Para ello he comentado que es importante devolverle el poder, pactando las intervenciones y respetando su ritmo, no entrando a abordar temas para los que no está preparada o no tiene permiso interno.

Hay que ser delicado con algunas cuestiones, como la del contacto corporal. Por supuesto que hay que pedir permiso a cualquier cliente antes de tocarle, pero en el caso de trabajar con supervivientes hay que ser muy cuidadoso con este tema. Algunas supervivientes no soportan ni siquiera su propio contacto. Algo que podría parecer muy inocuo, como poner la mano en el hombro, puede provocar reacciones muy intensas; esto no es siempre así ni con todos los supervivientes, pero es bueno tenerlo presente.

Que la terapia sea segura significa que la superviviente pueda confiar en ti, que sienta que serás capaz de ayudarla con su problema, que no vas a evitar hacer el trabajo importante por miedo, que podrás ayudarla a contener aquello que surja en las sesiones. Valora también tus recursos y tus limitaciones. A veces no es recomendable trabajar con una persona si no la atiende conjuntamente un psiquiatra o si la persona necesita un ingreso psiquiátrico. Es muy saludable que atiendas sólo aquellas situaciones que crees que puedes atender, sobrepasar tus límites no será de ayuda para nadie.

Si la persona ha sufrido una agresión recientemente es posible que venga en estado de crisis y la agresión lo ocupe todo. También en estos casos, más que preguntarle a la superviviente por los detalles de lo sucedido, es importante centrarse en la reacción que presenta, centrarse en la crisis y en el manejo de los síntomas.

Seguridad en su cuerpo y en su mente

Si se trata de una agresión reciente

El primer paso siempre es el cuidado de la salud física. Hay que derivar a la superviviente (si no ha ido ya) a un centro de salud para que le hagan una revisión por si hay algún tipo de lesión o desgarro, contagio o la posibilidad de un embarazo.

El siguiente paso es la regulación de los ritmos de alimentación y sueño. Es importante recomendarle a la persona que se alimente bien, que no se salte comidas —aunque coma ligero y pequeñas cantidades—. En cuanto al sueño, hay que valorar si toma estimulantes (bebidas con cafeína, alcohol u otras drogas, etc.) o hay otros aspectos de su vida o sus costumbres que le dificultan el descanso por las noches. Se debe trabajar en las sesiones técnicas que la puedan ayudar a relajarse y, si es necesario, derivarla a su médico de cabecera o a un psiquiatra —según el caso— para que le administre medicación por un tiempo (en situaciones graves es muy recomendable).

También es útil ayudarla a recuperar sus horarios y ritmos de vida habituales. Cuando la persona internamente está en estado de caos, el orden externo le puede ayudar a recuperar la sensación de normalidad.

Es necesario abordar los síntomas postraumáticos: el estado de hiperactivación, el miedo, la ansiedad, las imágenes recurrentes, etc. No se trata de eliminarlos (porque tienen una función), pero sí de ayudar a la persona a manejarlos de forma que le permitan continuar con su vida cotidiana. Esta fase es básicamente de prevención (trabajo psicoeducativo con la superviviente sobre qué es el estrés postraumático y cuál es la mejor forma de abordarlo, para evitar que se desarrolle el trastorno). Este trabajo también se puede realizar con la familia, para que puedan ayudar a la superviviente y para ayudarles a afrontar su propio malestar.

Si se trata de una agresión antigua

Para muchas supervivientes su cuerpo no es fiable y sienten que les traicionó. Por esa razón lo castigan —muchas veces sin ser conscientes de ello— mediante autolesiones, atracones o restricciones alimentarias, adicciones a sustancias o intentos de autolisis. Las autolesiones no siempre son fáciles de detectar y es muy posible que la superviviente no te las explique si no tiene mucha confianza en ti (a veces hay que preguntar directamente). Pueden ser muy graves, como hacerse cortes o pinchazos en la piel, pero también pueden ser más sutiles, como ducharse ocho veces al día o frotarse con un guante de crin hasta que salta la piel.

Si existe algún tipo de adicción, abordar ese problema es lo prioritario. Si alguien utiliza una sustancia para anestesiar el dolor, hablar de la agresión aumentará el deseo de consumir. Por lo tanto, la superviviente ha de tener recursos para resolver la adicción antes de poder enfrentarse a la agresión. Esto es extrapolable a un trastorno alimentario o cualquier otro trastorno de gravedad (un trastorno de personalidad, etc.). Si se trata de una adicción o un trastorno alimentario grave, tendrás que valorar la derivación a un centro especializado.

Si hay ideas suicidas y crees que la persona está en peligro puede ser muy útil hacer una reunión familiar para buscar una forma de proteger a la superviviente (háblalo previamente con ella). En algunos casos la familia no está disponible o a la superviviente le aterra que vengan a una entrevista. En ese caso, hay que buscar a alguna otra persona de su entorno próximo que la pueda contener en situaciones de riesgo: un novio, una amiga, etc. Y en casos muy extremos hay que avisar a la familia, incluso aunque la superviviente no lo desee. También se debe valorar la necesidad de un ingreso hospitalario.

Seguridad en su entorno

Después de una agresión el mundo deja de ser seguro y eso, para muchas supervivientes, se traduce en miedo a salir a la calle, necesidad de ir siempre acompañadas, sensación de intranquilidad y estado de alerta permanente. A veces se trata de una reacción postraumática temporal que va remitiendo poco a poco. En ocasiones ya no existe un peligro en el presente y, sin embargo, la persona sigue atemorizada. Ése es el caso de Toñi, que tenía miedo de salir a la calle aunque sabía que su agresor estaba muy enfermo e inmovilizado en cama y no podía ni levantarse solo. En este caso era la parte de Toñi que sufrió la agresión la que sentía ese miedo, la niña, no la adulta.

Otras veces, en cambio, el peligro inmediato es elevado y hay posibilidad de que la agresión se vuelva a repetir. En esos casos hay que valorar el grado de amenaza existente y cómo se puede proteger a la superviviente. A veces la percepción de riesgo de los clientes es mucho más acertada que la del profesional. La persona tiene que decidir si denuncia la agresión o no, y es importante que no se sienta presionada para hacerlo. Puede que se sienta ambivalente y confundida —que por un lado desee justicia pero, al mismo tiempo, tema las posibles represalias del agresor—, y esas actitudes las vea reflejadas en las diferentes opiniones de familiares y amigos. Muchas supervivientes denuncian para complacer a la familia o a la pareja y luego se arrepienten amargamente. Es bueno trabajar en terapia todos los pros y contras para que pueda tomar una decisión teniendo en cuenta todas las posibilidades.

Algunas mujeres, después de una violación, siguen estando en contacto con el agresor (porque tienen algún tipo de relación con él o porque las somete a algún tipo de acoso, llamándolas por teléfono, amenazándolas, etc.). Algunas llegan a tomar decisiones drásticas, como cambiar de casa y de trabajo. Estas fases pueden implicar mucho trabajo relacionado con la toma de decisiones.

En ocasiones el peligro proviene de que la persona se pone constantemente en situación de riesgo. Esto puede significar ir por lugares peligrosos, buscar como pareja a hombres que la maltratan, etc., a veces con la convicción de que no merece nada mejor.

También pueden estar en riesgo aquellas personas que siguen viviendo en el domicilio del agresor —aunque ya no haya agresiones sexuales—. Por ejemplo, si el agresor es uno de los padres o hermanos, puede que sí siga habiendo agresiones emocionales y la persona no sepa defenderse de ellas. En el caso de supervivientes de abusos crónicos, aprender a defenderse es costoso. A veces no lo hacen por una lealtad familiar ciega, por un amor infantil hacia la familia. Si la mujer se puede posicionar frente a la familia como la adulta que ahora es, posiblemente pueda resolver muchos conflictos.

Simultáneamente al trabajo terapéutico, muchas mujeres aprenden defensa personal porque eso les da una mayor sensación de protección. También se pueden crear espacios internos seguros a través de visualizaciones, hipnosis o cualquier otro método que tengas a tu disposición.

Una vez la persona se siente segura dentro de su piel y en su entorno, se puede abordar el abuso. Y ahí cada profesional trabaja desde su modelo y con las técnicas que considere más oportunas.

Me parece que para trabajar con supervivientes hay que partir de la premisa de que no por estar más tiempo en el dolor lo resolverá antes ni mejor. En el dolor hay que estar sólo lo imprescindible y en el momento justo. Pedir a alguien que relate detalles de su agresión una y otra vez, además de inútil y doloroso, puede llevar a la persona a sentirse victimizada de nuevo y a anclar más profundamente las emociones y sensaciones que pretende eliminar.

Esto no significa que tengas miedo a escuchar y evites los relatos dolorosos, sino que sopeses cuándo vale la pena y cuándo es mejor elegir otro camino. En mi experiencia ha sido más útil centrarme en las soluciones que en los problemas. Con algunas supervivientes hablamos minuciosamente de su vivencia (de los hechos, de las emociones, de las sensaciones, de los olores, etc.), pero, a pesar de llegar a entender perfectamente lo sucedido, no dejaron de tener síntomas graves. Otras, en cambio, lograron una recuperación asombrosa sin entrar en ningún detalle. Se puede conectar con el dolor más profundo del superviviente sin estar hurgando en las heridas. Hay que ser muy cuidadoso y respetuoso en este terreno.

Con esto no quiero decir que reconstruir la agresión no es un método válido y necesario para muchas personas. Simplemente que no es el único ni tampoco el más beneficioso para todos los supervivientes. Cuanto más flexible seas como terapeuta, más rica será la terapia.

Dado que una agresión sexual también es un delito, la excepción a esta idea son los casos en los que hay denuncia y la superviviente ha de pasar por un proceso judicial. Entonces sí que se tiene que elaborar muy bien la agresión, porque la superviviente se va a enfrentar a un juicio en el que tendrá que explicar todos los detalles del suceso. Y quizá tú también tendrás que declarar en calidad de experto y hablar del proceso terapéutico.

Algunas de las terapias más sanadoras que existen trabajan con el inconsciente, desde las terapias corporales (que además son muy útiles para trabajar la fisiología del trauma y toda la energía bloqueada a nivel corporal) hasta el trabajo con hipnosis (dado que muchas supervivientes tienen ya una capacidad natural para disociarse) o las constelaciones familiares (que trabajan con el inconsciente familiar), pasando por terapias expresivas y artísticas. Este tipo de trabajos a veces facilitan mucho la recuperación. Pero quizá tú trabajas con otras técnicas u otros modelos y también está bien.

Yo creo, pero ésta es sólo mi opinión, que lo verdaderamente sanador es la relación terapéutica. Las técnicas o modelos que utilices pueden ser muy diversos y todos pueden ayudar.

El cuidado del profesional

Trabajar en una profesión de ayuda escuchando a otras personas implica cierto costo. En el trabajo psicoterapéutico siempre se produce algún grado de contratransferencia (aquello de la historia del cliente que te hace conectar con tu propia historia). Si te relacionas con otras personas y escuchas sus relatos con empatía, también tú estás expuesto a cambiar en ese intercambio. Algunas veces, por las características del trabajo o por las características personales de quien lo realiza, un profesional puede llegar a agotarse, a sentir lo que se conoce como *burn out* o «síndrome de estar quemado». Si, además, trabajas habitualmente con personas que han sufrido algún tipo de trauma, puedes llegar a experimentar lo que se conoce como «traumatización vicaria» (nombre que acuñaron por primera vez McCann y Pearlman en 1990), también llamado «fatiga por compasión» (Figley, 1995).

No todas las personas que han sufrido una agresión sexual lo han experimentado como un trauma, ni siquiera todas necesitan ayuda profesional. Pero, de los supervivientes que buscan ayuda terapéutica, un porcentaje elevado sí sufre algún grado de trauma. Si atiendes esporádicamente a supervivientes, quizás el impacto de este tipo de trabajo no sea tan intenso. Sin embargo, si trabajas habitualmente en este campo, puedes experimentar cambios en tu vida, en tu trabajo y en tu forma de ver el mundo.

A continuación te propongo algunos consejos que pueden facilitar tu cuidado personal:

- Realizar formación continuada que te proporcione los conocimientos adecuados para llevar a cabo tu trabajo correctamente.
- Disponer de un grupo de trabajo con el que compartir tus dificultades, tus miedos, etc. Si no trabajas en equipo te ayudaría encontrar algún grupo de profesionales con los que compartir tus preocupaciones. Trabajar en solitario puede hacer que te sientas tan aislado como los clientes con los que trabajas.
- Disponer de una buena supervisión, si es posible, en tu lugar de trabajo. Si por alguna razón no existe esa posibilidad quizá puedes buscar otra opción (un supervisor externo, un grupo de pares, colegas de otros centros, etc.).
- Realizar o haber realizado tu propia psicoterapia. Considero que esto es necesario para cualquier psicoterapeuta que trabaje con supervivientes, pero si en tu historia personal hay alguna experiencia traumática, entonces es del todo imprescindible que realices un trabajo personal, no sólo por ti, sino también por tus clientes.
- Separar bien tu vida privada de tu vida profesional y dedicar tiempo a la primera. Si trabajas muchas horas a la semana atendiendo a supervivientes es fácil empezar a pensar que el mundo es un lugar en el que sólo pasan cosas terribles. Por eso necesitas un contrapunto, otro aspecto de tu vida en el que puedas ver que existe otra realidad, un espacio en el que llenarte

de energía, renovarte y desprenderte del agotamiento que acumulas en tu profesión, de forma que cuando vuelvas al trabajo estés disponible para las personas que tienes que atender.

- A algunas personas les ayuda tener algún tipo de estrategia o ritual para desconectar del trabajo y conectar con su vida personal, como una forma de «cerrar» el día (una ducha al llegar a casa, realizar meditación, yoga o algún deporte, leer una novela, escuchar música, etc.).
- También puede ser muy útil disponer de alguna estrategia para desconectar entre una visita y la siguiente, algo que te pueda ayudar a recuperar la serenidad o el equilibrio después de trabajar con alguien que trae consigo una historia compleja o impactante.
- Tener alguna afición a la que dedicar tiempo y energía, sea la que sea.
- Estar en contacto con la naturaleza también te permite renovarte.
- Dedicar tiempo a tus seres queridos (familia, amigos, etc.) y compartir con ellos una buena parte de tu jornada.

Éstas son sólo algunas ideas de las múltiples que puedes pensar. En los anexos encontrarás referencias bibliográficas que te pueden proporcionar más información sobre este tema.

Como conclusión diría que, si estamos pendientes de nuestras necesidades y de nuestros procesos internos (pensamientos, emociones, sensaciones corporales), nuestra tarea será más rica y satisfactoria y nuestra relación con los clientes con los que trabajemos será de un aprendizaje mutuo.

En el proceso de terapia que realicé con Toñi (capítulo 3), se puede ver mi miedo al empezar a trabajar con ella, producto de mi inexperiencia. Inicialmente me bloqueé tanto que no podía ver los recursos que Toñi traía consigo —que eran muchísimos—, ni cuáles eran sus objetivos. Estaba más centrada en el origen del problema que en la solución. Le propuse un «contrato de no suicidio» —que fue básicamente terapéutico para mí— porque era yo la que tenía miedo, como si la responsabilidad de su vida estuviera totalmente en mis manos.

Si no hubiera dispuesto de la supervisión adecuada, me habría quedado atrapada en mis miedos y el trabajo habría sido enormemente difícil. Quizá me ocurrió porque cuando empecé a trabajar pensaba que la terapia era el centro de la vida de las personas. Cuando fui entendiendo que es sólo una pequeña parcela, me sentí mucho más tranquila y mi trabajo se volvió más eficaz. La responsabilidad pasó de ser un peso que me ahogaba a una parte de mi trabajo que podía asumir.

Epílogo

En síntesis diría que un enfoque tanto sanitario como social, que sea útil para las y los supervivientes de agresiones sexuales, ha de tener en cuenta sus opiniones y sus necesidades, que se den cuenta de su dolor pero también de sus recursos, que les dé voz pero que respete su intimidad y que promueva la prevención y la información sin caer en el sensacionalismo, que no se olvide de que «superviviente» no es lo mismo que «incapaz de tomar sus propias decisiones».

Pero, como explico al inicio del libro, cada persona tiene una visión única de la realidad que no es «la verdad». Mi visión de las agresiones sexuales es sólo una entre muchas y puede ser válida para algunas personas y quizá para otras no. Por esta razón, para que el lector pueda encontrar otras opiniones, he pedido a diferentes colegas que explicaran brevemente qué significa para ellos trabajar con supervivientes y éstas han sido sus respuestas:

El trabajo con supervivientes

El cuidado del cliente

A mí, cuando trabajo con supervivientes, hay dos cosas que me gusta tener en mente. La primera es «mirar a través de» la persona que tengo delante de mí y la segunda es cuidar de mí misma como terapeuta. Teniendo presentes estas dos consideraciones, encuentro que soy capaz de permanecer abierta a mis clientes, verlos, sentirlos y escucharlos y, al mismo tiempo, mantenerme suficientemente objetiva para ofrecerles todas las herramientas y recursos que ambos tenemos disponibles. Esto, en cierto modo, parece garantizar mi propia supervivencia en un trabajo que disfruto con pasión sin caer presa del *burn out* o «fatiga por compasión», tan comunes actualmente en las profesiones de ayuda. Mirando a través del cliente, y más allá de todo el sufrimiento y el trauma que trae consigo, puedo conectar con la persona sanada que sé que hay dentro de él, y esta imagen es la que me guía hacia una posible resolución de su problema actual. Siempre recuerdo las palabras de Virginia Satir a este respecto, que vio claramente que «todo el mundo tiene ya dentro de sí todo lo que necesita para estar bien». Esta creencia terapéutica, que yo he hecho mía, presupone, respecto a mis clientes, que en efecto existe un camino hacia adelante, un sendero que podemos caminar juntos, no importa lo difícil que parezca. Escuchando con «orejas suaves» y superponiendo una imagen holográfica sana de la persona delante de mis ojos internos, soy capaz de permanecer receptiva a ella y, al mismo tiempo, abierta a mis propios procesos internos de selección, para así sentir mejor qué dirección tomar a lo largo de ese sendero.

El cuidado del terapeuta

Otra cosa importante que aprendí de Virginia Satir fue el cuidado de mí misma como instrumento para facilitar el espacio terapéutico. Descubrí que puedo ser más útil a mi cliente cuando mi propio instrumento está afinado con precisión y en óptimas condiciones —sólo entonces me puedo encontrar con la otra persona y con su modelo del mundo—. Virginia señaló la manera —aunque ella casi nunca siguió su propio consejo a este respecto— y yo necesité varios años hasta que pude desarrollar una forma de mantener un equilibrio entre mis propias necesidades y las de mis clientes. Además de dedicar un «tiempo preferencial» a mi familia y amigos y no estar siempre disponible por teléfono, paso el mayor tiempo posible en la naturaleza. Recientemente ha sido una ayuda muy especial participar en un grupo de pares, así como mantener una relación continuada con un mentor en temas espirituales y filosóficos. Otra de mis formas preferidas de mantenerme mental y emocionalmente sana es cultivar lo que yo llamo mi «jardín interno». Ese jardín que tengo dentro está siempre ahí para que lo disfrute y consigo un gran placer cuidándolo y caminando por sus múltiples caminos escondidos. Hay una tranquilidad especial en ese lugar que me llevo conmigo cuando vuelvo al mundo exterior. Entonces, igual que un jardinero, me siento fresca de nuevo y preparada para continuar, con energía y entusiasmo renovado, en el arte de ayudar a restaurar los jardines internos de otras personas de forma que también florezcan y den frutos.

JACQUELINE HITCHCOCK

Confiar para amar

La primera vez que atendí en consulta a una mujer que había padecido abusos en su infancia, creo que hice todo aquello que no debe hacerse, y desde la primera sesión. Yo mismo saqué el tema antes de saber si le apetecía hablar de ello, apenas la escuché porque apenas dijo nada, y fui yo quien se lo dijo todo proponiendo «soluciones» cuando aún no tenía ni idea de la gravedad del asunto.

Por fortuna, ella resultó tener más recursos como paciente que yo como terapeuta, o quizá también influyó que, a pesar de mi presuntuosa ignorancia, también le puse corazón y buena voluntad, que eran (ahora lo veo) los únicos recursos reales con que podía contar en aquella época. El caso es que fue suficiente: los síntomas cesaron y la paciente pudo hacer su vida, la vida que eligió (poco más o menos, como todo el mundo).

Mi amiga y colega Ángela, a quien quiero agradecer su propuesta de escribir estas cuatro líneas, dándome la oportunidad de compartir un poquitín de su obra, siempre dice que en este tema la cuestión clave es la confianza. Cuando se puede establecer una relación de confianza entre terapeuta y paciente, ya está hecho la mitad del trabajo; la mitad importante, además. Quizá no importe tanto cuál sea el modelo desde el que se trabaje o las técnicas que se apliquen.

La cuestión de género seguramente tiene una gran influencia en este proceso de generación de confianza. Según las estadísticas, la mayoría de abusadores son varones, y la mayoría de víctimas de abusos, mujeres. E incluso los varones que sufren abusos son víctimas casi siempre de otros varones. Ello puede dificultar el proceso si el terapeuta es un hombre. Pero, por otra parte, si llega a establecerse dicha confianza, aunque pueda tardar más, también nos permite avanzar mucho más allá.

Si se ha podido confiar en alguien (el terapeuta, en este caso), ¿por qué no se va a poder confiar también en otros? Y si se ha podido volver a confiar en un varón, ¿por qué no se va a poder confiar en otros varones?

Pero la confianza es recíproca, y huelga decir que el terapeuta también debe confiar en las capacidades del paciente. Así, y especulando tan sólo desde mi humilde experiencia en este campo, creo que una buena actitud terapéutica es la de mantener en todo momento la creencia de que, por graves que sean las heridas, siempre hay algún camino de vuelta a la confianza perdida.

Y confiar es la capacidad de entregarse y abandonarse en paz, sabiéndose en buenas manos, en manos amorosas. Confiar es serenidad para poder apasionarse, para disfrutar de todo lo que nos pueda dar placer, para compartir el gozo y así multiplicarlo, y, en definitiva, para poder amar.

ARTUR SARDÀ

Una tarea difícil

Cuando Ángela me propuso escribir unas líneas me sentí honrada pero pensé que yo no podría decir gran cosa: he trabajado con pocas personas supervivientes de agresiones sexuales. Ella me pidió que escribiera lo que yo había sentido en esos pocos casos en los que he intervenido. Y eso sí lo puedo hacer, puesto que he sentido muchas cosas.

He sentido indefensión. También yo podría haber sido violada en el portal de mi casa o en el aparcamiento al ir a recoger mi coche. He sentido una brutal incomprensión: ¿cómo se puede tratar así a una criatura?, ¿cómo se puede ser tan perverso?, ¿tan inhumano? E impotencia: ¿qué puedo hacer yo?, ¿cómo sanar heridas tan profundas, tan antiguas?, ¿cómo restablecer la sensación de seguridad cuando has descubierto que en realidad el mundo no es seguro ni justo?

Pero hay más, he experimentado impaciencia y desasosiego por la actitud de la víctima; me ha costado comprender la necesidad de excusar al agresor, de cargar con la culpa del daño que otra persona le infligió, palpar su actitud de desvalido y de pasividad.

He sido presa de una gran sorpresa al verme a mí misma avasallando a mi cliente. Mi necesidad de hacerle ver que sólo el agresor es culpable de la agresión me ha llevado a tomar una actitud sobreprotectora, indicándole lo que tiene que hacer y cómo tiene que ver y vivir su vida, increpándola por su pasividad o por sus emociones, forzándola a hacer cosas que ella no deseaba hacer (como describir la agresión, contarlo a otros miembros de la familia o de la sociedad, etc.).

Todas estas emociones (y muchas otras) son las que una víctima de agresiones sexuales trae consigo. También son las que con su situación, con su relato, mueve en mí. Y para mí ha sido un duro trabajo llegar a darme cuenta de que no podía ayudar a esas personas si me quedaba ahí; tanto si sentía compasión por ellas como si las empujaba a hacer las cosas de forma diferente, estaba perpetuando su situación de incapacidad, su estatus de víctimas.

Para mí, trabajar con víctimas supone encontrar un equilibrio entre la empatía (ser capaz de entender profundamente lo que la otra persona siente) y la transferencia (ser consciente de que mis reacciones tienen que ver conmigo, de que yo soy responsable de ellas y de cómo éstas pueden afectar a la persona con la que estoy trabajando); equilibrio entre la implicación y el compromiso con la persona que me pide ayuda (el terapeuta no puede ser «neutral» ante la situación de agresión) y la adecuada y necesaria distancia terapéutica. Supone también ser consciente de la circularidad de la conducta (las reacciones de los diferentes miembros de un sistema se influyen y se determinan mutuamente) sin caer por ello en victimizar —nosotros también— a la víctima.

A pesar de mi corta experiencia en este campo de trabajo, sé que todo esto no es fácil..., pero cuando se logra es fantástico descubrir la gran capacidad que tenemos las personas de sanar y de vivir.

IMMACULADA DÍAZ

Cambiando la perspectiva

Durante mi formación como psicóloga colaboré en una ONG que asistía a supervivientes de delitos sexuales. Mi intención entonces era especializarme en psicología forense. El proceso de acompañamiento a las supervivientes abarcaba desde que la persona llegaba a la ONG y solicitaba información sobre la denuncia y asistencia tanto psicológica como jurídica hasta el final del proceso judicial. Como voluntaria acompañé a hacer denuncias, entrevisté a familias, supervivientes, etc., esto implicaba un nivel de relación con la superviviente muy cercano. Mi rol de voluntaria me permitía involucrarme tanto como quisiera, estar disponible para cualquier duda que le surgiera durante todo el proceso, informar a la familia, y estar en contacto con la psicóloga y la abogada para realizar el seguimiento del caso, etc. Otras veces daba charlas de prevención en institutos y casi siempre alguna chica se quedaba al final para pedir ayuda. En ese momento no tenía demasiada conciencia de la cantidad de angustia que se generaba a mi alrededor ni de mi vulnerabilidad ante ésta.

Sentí cómo me había agotado mentalmente el voluntariado cuando lo dejé. Mucho tiempo después seguía sintiendo angustia al pensar en personas con problemáticas muy duras, o me preguntaba qué habría pasado con aquel juicio, qué habría conseguido hacer aquella chica, cómo habría superado el proceso aquella familia...

Formándome y trabajando como terapeuta me di cuenta de que tenía que aprender a trabajar desde una dimensión psicológica, no desde una asistencia global en todo el proceso, y manejar la angustia que me provocaba sentirme tan limitada. Quizás es eso lo que me hace aparcar mi paso a la práctica forense y centrarme actualmente en la terapia. Lo que más me cuesta todavía es controlar la simpatía que siento por las adolescentes supervivientes de abusos sexuales. Me admira su capacidad de adaptación y de lucha.

Como terapeuta me costaba y todavía me cuesta ceñirme a la duración de las sesiones con ellas. Priorizo hacerles sentir que tienen un espacio donde están protegidas sobre la necesidad de poner límites temporales. Les facilito mi móvil y la posibilidad de escribir correos electrónicos o escritos que utilizamos como herramienta en terapia. Todavía siento angustia tras la primera entrevista con una superviviente, y cada vez lucho con la preocupación sobre si habré sabido transmitir el mensaje de que ese espacio de terapia es seguro para ella. Es con supervivientes de abusos con quienes más vulnerable me siento como profesional y son el tipo de clientes que más dudas me generan sobre mis intervenciones terapéuticas.

RUTH ARRAZOLA

Vivimos, aprendemos, sobrevivimos

Con Ángela compartí la experiencia de atender a supervivientes de agresiones sexuales en un centro que ofrecía atención jurídica y psicológica a esta problemática. Y a ella le agradezco su confianza, lo que me enseñó y su amistad desde entonces. Mi colaboración consistía en atender las primeras entrevistas de acogida, en las que ayudaba a las supervivientes a definir su demanda, valoraba su estado psicológico e informaba sobre los recursos del centro. También realizaba seguimientos periódicos de las mujeres para valorar su evolución.

Como psicóloga mi objetivo era hacer de enlace con el tratamiento posterior, puesto que yo valoraba la psicoterapia como de absoluta necesidad para la mejoría y el afrontamiento de la situación que la persona estaba viviendo. Mi intención se centraba en dar confianza y calidez, atender el apoyo emocional, la escucha empática, elegir qué información ofrecer o no, sabiendo que ese primer contacto es básico para la continuidad en el proceso de intervención psicológica. Muchas veces me di cuenta de mi necesidad de convencerlas del beneficio que les reportaría, de mi necesidad de ofertar soluciones reparadoras, de ofrecerles bienestar para contrarrestar su sufrimiento. Y otras tantas me recordé la evidencia: estaban allí porque ellas lo habían decidido.

El silencio de años de las que sufrieron abusos en su infancia y la juventud de la mayoría de ellas —una edad a la que corresponden planes e ilusiones— me impresionaron y me generaron tristeza, rabia, ternura y una necesidad de devolverles alivio. Para mí la confianza era el factor más importante. Me gustaría destacar el apoyo y amor ofrecido por parejas y familias en muchos de los casos.

El impacto que recibí como oyente de detalles terribles, minuciosos, de agresiones sexuales puntuales, reiteradas, de abusos sexuales —que muchas veces superaban los márgenes de lo creíble, pero siempre eran reales— hizo que redefiniera mis esquemas como persona, mujer y psicóloga acerca del nivel de crueldad y violencia que un ser humano es capaz de ejercer sobre otro y lo que supone de pérdida de confianza en un mundo justo, seguro, ordenado y controlable. Las diferencias entre los tipos de agresión y sus efectos están en los libros, yo aprendí allí las diferencias individuales de cada persona y su capacidad para resistir, rehacerse y afrontar con sus estilos diferentes experiencias adversas y sobrevivir a ellas.

Este contacto con el horror me supuso conductas más temerosas, de evitación, adoptar medidas preventivas ante situaciones concretas que antes no me parecían peligrosas y que tenían relación directa con lo escuchado. No olvidaré por qué cierro con llave la puerta de mi casa estando dentro, la razón está ligada al recuerdo de una persona y su historia. Así, muchas veces reconocí cómo algunas de las consecuencias de la agresión sexual, es decir, la indefensión, la desconfianza, el miedo, aparecían también en mí, aunque con gran diferencia de grado.

Todas esas horas escuchando sus historias, en esos que eran los primeros momentos de su narración, su revelación, me enseñaron a conectar con el sufrimiento ajeno y también con sus fortalezas, entre las que destaco su capacidad de esperanza ante la vida, de expectativas, de metas de futuro, su perseverancia y su coraje para seguir viviendo.

A todas aquellas supervivientes que conocí por sus experiencias les agradezco su generosidad, así como haber podido constatar el efecto terapéutico que supone la intervención psicológica ya desde la primera entrevista.

LUZ CALVO

Anexos

En este apartado encontrarás información práctica que te puede ser de utilidad. En primer lugar libros. Algunos están relacionados directamente con las agresiones sexuales y otros no, pero tratan temas que pueden ser de tu interés. También hay algunos libros para ayudar en la supervivencia al profesional (además de los que aparecen en las referencias bibliográficas).

Más adelante podrás encontrar teléfonos y direcciones de utilidad adonde dirigirte si lo necesitas.

Algunos libros que pueden ayudar a los supervivientes

Libros sobre agresiones sexuales

- *El coraje de sanar,* de Ellen Bass y Laura Davis, Barcelona, Urano, 1995. El libro de Bass y Davis es un libro de autoayuda para supervivientes de abusos en la infancia y contiene numerosos testimonios de mujeres.
- *A plena luz: abusos sexuales en la infancia,* de Ouainé Bain y Maureen Sanders, Salamanca, Lóguez, 1996. Está dirigido sobre todo a adolescentes y explica de forma sencilla qué es un abuso sexual y cuáles son sus efectos.

- *La inocencia rota: abusos sexuales a menores,* de Félix López, Barcelona, Océano, 1999. Es un manual muy claro en el que se explica qué es un abuso a menores, cómo prevenirlo y qué hacer cuando se detecta.
- *Las tardes escondidas,* de Enrique Pérez Guerra, Madrid, Editorial Popular, 2001. Es un libro autobiográfico en el que el autor relata su experiencia como superviviente de abusos sexuales en la infancia.
- *Afortunada,* de Alice Sebold, Barcelona, Mondadori, 2004. Se trata de un relato autobiográfico en el que la escritora relata su experiencia como superviviente de una violación sufrida a los 18 años.
- *Cuando estuvimos muertos,* de Joan Montané, Madrid, Nuevos escritores, 2004. Relato escrito por un superviviente de abusos sexuales en la infancia en el que relata su experiencia, recoge testimonios de otros supervivientes, reflexiona sobre emociones y actitudes relacionadas con la supervivencia y ofrece información sobre grupos de ayuda mutua.
- *El enigma sexual de la violación,* de Inés Hercovich, Buenos Aires, Biblos, 1997. La autora revisa cómo se ha visto la violación históricamente, cómo se contempla en el sistema jurídico y sanitario y recoge numerosos testimonios de supervivientes.

Libros sobre experiencias traumáticas

- *Cómo superar un trauma psicológico,* de Aurore Sabouraud-Séguin, Madrid, Síntesis, 2003. Es un libro de autoayuda dedicado a abordar los efectos de un trauma (independientemente de si se trata de una agresión sexual, un accidente de coche, etc.). Se centra mucho en tratar los síntomas del trastorno por estrés postraumático.
- *Trauma y recuperación,* de Judith Herman, Madrid, Espasa-Calpe, 2004. Quizás es uno de los libros más completos que existen sobre traumas. Recomendable para supervivientes y necesario pa-

ra cualquier profesional que trabaje con personas que han experimentado algún tipo de trauma.

- *Curar el trauma,* de Peter A. Levine y Ann Frederick, Barcelona, Urano, 1999. Libro de autoayuda que trata los traumas desde la perspectiva fisiológica y corporal, proponiendo ejercicios prácticos.

Libros sobre sexualidad

Existen muchísimos libros en el mercado que hablan sobre sexualidad. Si buscas en librerías puedes encontrar alguno que se ajuste más a tus necesidades que los propuestos aquí, que son sólo una pequeña muestra orientativa.

- *El informe Hite sobre sexualidad femenina,* de Shere Hite, Barcelona, Plaza y Janés, 1977. *El informe Hite sobre sexualidad masculina,* de la misma autora, también en Plaza y Janés, 1981. Se trata de dos clásicos. Shere Hite encuestó a hombres y mujeres sobre sus costumbres sexuales y estos libros son el resultado. Aunque han cambiado las costumbres sexuales desde que Hite los escribió, todavía pueden ser un referente.
- *Tu sexo es tuyo,* de Sylvia de Béjar, Barcelona, Mondadori, 2001. Es un libro muy sencillo y desenfadado que trata de una forma muy clara la sexualidad de la mujer.
- *Guía práctica de la sexualidad femenina,* de Olga Bertomeu, Madrid, Temas de Hoy, 1996. Es un libro sencillo y divulgativo sobre sexualidad femenina. Existen otros libros sobre este tema de la misma autora.
- *Para comprender la sexualidad,* de Félix López y Antonio Fuentes, Estella, Verbo Divino, 1989. Es un libro que tiene muchos años y quizá resulte un poco difícil de conseguir, pero se trata de un manual sumamente didáctico y claro sobre sexualidad.
- *Creatividad sexual,* de Carol G. Wells, Barcelona, Robin Book,

1990. Es un libro que sugiere un trabajo con visualizaciones para mejorar la vida sexual de las personas. Incluye propuestas de ejercicios para realizar.

- *Amar nuestro cuerpo,* de Rita Freedman, Barcelona, Paidós, 1991. Este libro trata la relación de la mujer con su cuerpo. El capítulo 6 habla de cuerpo y sexualidad. Es un libro de autoayuda con ejercicios prácticos.

Otros libros de interés

- *Vivir para amar: un encuentro con los tesoros de tu mundo interior*, de Virginia Satir, México, Pax México, 1996. *Vivir para crecer: un viaje maravilloso al mundo de tus posibilidades,* también de Virginia Satir, México, Pax México, 1996. Dos pequeños libros de meditaciones útiles para potenciar tu autoestima, a través de la conexión con tus recursos y capacidades.
- *El jardinero fiel,* de Clarissa Pinkola Estés, Barcelona, Ediciones B, 2003. Es un librito de historias dentro de otras historias que trata sobre el poder de curación que tenemos las personas.
- *Mujeres que corren con los lobos,* de Clarissa Pinkola Estés, Barcelona, Ediciones B, 1998. Es un amplio volumen que trata de la naturaleza instintiva de las mujeres y cómo recuperarla a través de los cuentos. Es un libro complejo, para leer con calma.
- *El poder de tu otra mano,* de Lucia Capacchione, Madrid, Gaia, 1995. Se trata de un libro práctico y lleno de ejercicios para conectar con la parte emocional y sanar al niño que todos llevamos dentro. Trabaja a partir de la escritura con nuestra mano no dominante.
- *El hombre en busca de sentido,* de Víctor Frankl, Barcelona, Herder, 1979. Frankl, psiquiatra judío que sufrió las consecuencias de los campos de exterminio nazis en su propia piel, habla en este libro de la importancia de que la vida tenga sentido para poder sobrevivir.

- *La felicidad es posible,* de Stefan Vanistendael y Jacques Lecomte, Barcelona, Gedisa, 2002. Habla de la resiliencia: la capacidad de sobrevivir que tienen muchas personas que de niños han sido maltratadas y logran vidas felices.
- *Los patitos feos,* de Boris Cyrulnik, Barcelona, Gedisa, 2002. Otro libro que también habla de la resiliencia. Éste quizá resulte un poco más técnico.
- *Corazón de la mente,* de Connirae y Steve Andreas, Santiago de Chile, Cuatro Vientos, 1991. Es un libro de Programación Neurolingüística lleno de ejercicios prácticos. Los capítulos 4 y 7 están dedicados a la resolución de traumas y abusos.

Algunos libros para quienes trabajan con supervivientes

Si trabajas con supervivientes, en la bibliografía encontrarás numerosas referencias de libros que abordan el trabajo con este tipo de clientes desde diferentes ámbitos. Los libros que encontrarás aquí tienen que ver con el cuidado del terapeuta.

- *From violence toward love: one therapist's journey,* de Marjorie Holiman, Nueva York, Norton and Company, 1997. En este libro la autora, una terapeuta, hace una reflexión muy interesante sobre la violencia en su vida personal y en su trabajo con supervivientes y con agresores. Se puede ver muy bien lo ligadas que están las dos facetas, la personal y la profesional.
- *Violencias cotidianas, violencia de género,* de Susana Velázquez, Buenos Aires, Paidós, 2003. Es un libro que aborda la violencia de género y tiene varios capítulos que tratan la implicación del profesional. El capítulo 13 habla del equipo de trabajo, el 16 del cuidado de los cuidadores y el 17 del efecto de ser testigo y el desgaste del profesional.
- *Transforming the pain: a workbook on vicarious traumatization,* de Karen W. Saakvitne y Laurie Anne Pearlman, Nueva York,

Norton and Company, 1996. Es un libro basado en un taller vivencial para profesionales sobre traumatización vicaria. Plantea qué es la traumatización vicaria, cómo detectarla y prevenirla. Incluye ejercicios prácticos.

- *Compasion fatigue: coping with secondary traumatic stress disorder in tose who treat the traumatized,* de C. R. Figley, Nueva York, Brunner/Mazel, 1995. Libro centrado en la fatiga por compasión, los efectos secundarios de trabajar con personas traumatizadas.
- *Meditaciones para mujeres que hacen demasiado,* de Anne Wilson Shaef, Madrid, EDAF, 1996. Es un libro que tiene una reflexión para cada día del año; aunque va dirigido a mujeres también puede ser muy útil para hombres. Como dice su título es para personas que hacen demasiado y les cuesta desconectar de su trabajo.

Algunas direcciones de interés

- *Oficinas de Asistencia a las Víctimas de Delitos Violentos y Contra la Libertad Sexual*
  Página web: <http://www.mju.es/mvictimas.htm#>
  En esta página encontrarás los teléfonos y direcciones de todos los centros que existen en España. Aquí recibirás asesoramiento e información legal y asistencial.

- *Federación de Asociaciones de Asistencia a Víctimas de Agresiones Sexuales*
  Página web: <http://www.violacion.org/donde/default.html>
  Aquí encontrarás información sobre las sedes que existen en diferentes comunidades autónomas. Son asociaciones que ofrecen asistencia jurídica y psicológica de forma gratuita.
  C/ O'Donnell, 42
  28009 Madrid
  Teléfono: 91 574 01 10

- *Asociación FADA para el Asesoramiento y Prevención de Abusos Sexuales a Menores*
  Página web: <http://www.fada.voluntariat.org/castellano/home.htm>
  Correo electrónico: <asfada@suport.org>
  Esta asociación trabaja en Cataluña. Ofrece asesoramiento a supervivientes y también a profesionales.

- *Instituto de la Mujer*
  Dispone de un teléfono de información 24 horas gratuito: es el 900 191 010. También dispone de un teléfono de atención para mujeres sordas: es el 900 152 152.

- *Servicio de Atención a la Mujer (SAM)*
  Existe en todas las comisarías de policía.

- *Equipo Mujer y Menor (EMUME)*
  En los cuarteles de la Guardia Civil.

- *Grupo de Menores de la Policía Judicial (GRUME)*
  Fiscalía de Menores.
  Pº General Martínez Campos, 27
  28010 Madrid
  Teléfono: 91 319 82 33
  Via Laietana, 49
  08003 Barcelona
  Teléfono: 93 290 37 01

- *Dirección General de la Mujer*
  Servicio de Atención Social a la Mujer
  Teléfono: 91 580 46 84

- *Asociación ANAR*
  Servicio telefónico gratuito de orientación y protección de menores.

Atención 24 horas
Teléfono: 900 20 20 10

- *Dirección General de Atención al Menor (DGAM)*
En Cataluña. Atención 24 horas.
C/ Aragón, 332
08009 Barcelona
Teléfono: 93 552 45 05

- *Instituto Madrileño de Atención a la Infancia*
C/ Orense, 11, 9º
28020 Madrid
Teléfono: 91 580 47 47

- *Federación Española de Asociaciones de Psicoterapeutas (FEAP)*
Aquí puedes encontrar información de las diferentes asociaciones profesionales y de todos los psicoterapeutas acreditados.
C/ Cristóbal Bordiu, 35, oficina 105
28003 Madrid
Teléfono: 91 554 35 88
Página web: <http://www.feap.es>

- *Colegio Oficial de Psicólogos*
Existe una sede en Madrid que agrupa a todos los colegios existentes en España.
Página web: <http://www.cop.es>

- *Sociedad Española de Contracepción*
Dispone de un apartado sobre abusos y agresiones sexuales.
Página web: <http://www.sec.es/buscar/04abuso/htm>

- *Forogam*
Foro en Internet dedicado a los abusos sexuales en la infancia. Incluye foros para supervivientes y para familiares y profesionales.
Página web: <http://forogam.loeda.net>

Bibliografía

Andersen, T. (1994), *El equipo reflexivo*, Barcelona, Gedisa.

APA (1995), *Manual Diagnóstico y Estadístico de los Trastornos Mentales DSM-IV*, Barcelona, Masson.

Barudy, J. (1998), *El dolor invisible de la infancia*, Barcelona, Paidós.

Bass, E. y Davis, L. (1995), *El coraje de sanar*, Barcelona, Urano.

Bean, B. y Bennett, S. (1993), *The me nobody knows: a guide for teen survivors*, Nueva York, Lexington Books.

Beneyto Arrojo, M. J. (2002), «Violencia sexual: entre lo que siente la víctima y lo que piensa el agresor», en Redondo, S. (comp.), *Delincuencia sexual y sociedad*, Barcelona, Ariel, págs. 53-85.

Bentovim, A. (2000), *Sistemas organizados por traumas: el abuso físico y sexual en las familias*, Buenos Aires, Paidós.

Bower, G. H. (1981), «Mood and memory», *American Psychologist*, nº 36, págs. 129-148.

Brink, O., Quasebarth, A. y Saltuari, P (2004), *Wie Offenheit die Liebe stärkt. Zwiegespräche und Familienstellen*, Herder.

Bucay, J. (2002), *Cuentos para pen0ar*, Barcelona, RBA.

Cantón Duarte, J. y Cortés Arboleda, M. R. (1997), *Malos tratos y abuso sexual infantil*, Madrid, Siglo XXI.

Courtois, Ch. A. (1999), *Recollections of sexual abuse*, Nueva York, Norton.

Echeburúa, E. (2004), *Superar un trauma: el tratamiento de las víctimas de sucesos violentos*, Madrid, Pirámide.

Echeburúa, E. y Guerricaechevarría, C. (2000), *Abuso sexual en la infancia: víctimas y agresores*, Barcelona, Ariel.

Figley, Ch. (1995), *Compasion fatigue. Coping with secondary traumatic stress disorder in those who treat the traumatized*, Nueva York, Brunner/Mazel.

Finkelhor, D. (1984), *Child sexual abuse: new theory and research.* Nueva York, The Free Press.

— (1986), *A sourcebook on child sexual abuse*, Beverly Hills, Sage.

Franke-Grisksch, M. (2004), *Eres uno de nosotros*, Buenos Aires, Alma Lepik.

Freud, S. (1973, 1997), *Escritos sobre la histeria*, Madrid, Alianza.

Freyd, J. J. (2003), *Abusos sexuales en la infancia: la lógica del olvido*, Madrid, Morata.

Harter, S. L. y Neimeyer, R. A. (1995), «Long-term effects of child sexual abuse: toward a constructivist theory of trauma and its treatment», *Advances in Personal Construct Psychology*, vol. 3, págs. 229-269.

Hellinger, B. (2001), *Órdenes del amor*, Barcelona, Herder.

Hellinger, B. y Ten Hovel, G. (2000), *Reconocer lo que es*, Barcelona, Herder.

Hercovich, I. (1997), *El enigma sexual de la violación*, Buenos Aires, Biblos, Biblioteca de las Mujeres.

Herman, J. (1981, 2000), *Father-daughter incest*, Cambridge, Massachusetts y Londres, Harvard University Press.

— (2004), *Trauma y recuperación*, Madrid, Espasa-Calpe.

Intebi, I. V. (1998), *Abuso sexual infantil en las mejores familias*, Buenos Aires, Granica.

Kamsler (1996), «La formacón de la imagen de sí misma», en Durrant, M. y White, Ch. (comps.), *Terapia del abuso sexual*, Barcelona, Gedisa.

Kelly, G. A. (1955), *The psychology of personal constructs*, 2 vols., Nueva York, Norton.

Kirschner, S., Kirschner, D. A. y Rappaport, R. L. (1993), *Working with adult incest survivors: the healing journey*, Nueva York, Brunner/Mazel.

Kübler-Ross, E. (2004), *La rueda de la vida*, Barcelona, Ediciones B.

Lameiras Fernández, M. (comp.) (2002), *Abusos sexuales en la infancia: abordaje psicológico y jurídico*, Madrid, Biblioteca Nueva.

Leitner, L. M. (1996), «La distancia terapéutica óptima: la experiencia de un terapeuta de la psicoterapia de los constructos personales», en Neimeyer, R. A. y Mahoney, M. J. (comps.), *Constructivismo en psicoterapia*, Barcelona, Paidós, págs. 331-346.

Levine, P. y Frederick, A. (1999), *Curar el trauma*, Barcelona, Urano.

Lietaer, G. (1991), «La autenticidad del terapeuta: congruencia y transparencia», *Revista de psicoterapia*, vol. 2, págs. 41-61.

López, F. y Fuertes, A. (1989), *Para comprender la sexualidad*, Estella, Verbo Divino.

López Sánchez, F. (1999), *La inocencia rota, Abusos sexuales a menores*, Barcelona, Océano.

Madanes, C. (1993), *Sexo, amor y violencia: estrategias de transformación*, Barcelona, Paidós.

Maturana, H. (1996), *La realidad: ¿objetiva o construida?*, Barcelona, Anthropos.

McCann, L. y Pearlman, L. A. (1990), *Psychological trauma and the adult survivor*, Nueva York, Brunner/Mazel.

Minuchin, S. y Fishman, H. Ch. (1984), *Técnicas de terapia familiar*, Barcelona, Paidós.

Moeller, M. L. (1986), *Die Liebe ist das Kind der Freiheit*, Reinbek.

— (1988), *Die Wahrheit beginnt zu zweit. Das Paar im Gespräch*, Reinbek.

— (2002), *Wie die Liebe anfängt, Die resten drei Minuten*, Reinbek.

Neimeyer, G. (comp.) (1996), *Evaluación constructivista*, Barcelona, Paidós.

O'Hanlon, W. J. (1996), «La historia llega a ser su historia: una terapia en colaboración y orientada hacia la solución de los efectos secundarios del abuso sexual», en McNamee, S. y Gergen,

K. J. (comps.), *La terapia como construcción social*, Barcelona, Paidós, págs. 165-178.

O'Leary, P. (1999), «Liberation from self blame: working with men who have experienced childhood sexual abuse», en White, Ch. y Denborough, D. (comps.), *Extending narrative therapy: a collection of practice-based papers*, Adelaide, Dulwich Centre Publications.

Orts E. y Alonso A. (2002), «Delitos específicamente concebidos para la tutela de menores de edad en el ámbito de la sexualidad», en Lameiras, M. (comp.), *Abusos sexuales en la infancia: abordaje psicológico y jurídico*, Madrid, Biblioteca Nueva, págs. 17-39.

Paivio, A. (1986), *Mental representations. A dual coding approach*, Nueva York, Oxford University Press.

Perrone, R. y Nannini, M. (1997), *Violencia y abusos sexuales en la familia: un abordaje sistémico y comunicacional*, Buenos Aires, Paidós.

Peseschkian, N. (1998), *El mercader y el papagayo*, Barcelona, Herder.

Saakvitne, K. y Pearlman, L. (1996), *Transforming the pain: a workbook on vicarious traumatization*, Nueva York, Norton and Company.

Safran, J. y Segal, Z. (1994), *El proceso interpersonal en la terapia cognitiva*, Barcelona, Paidós.

Sanderson, Ch. (1995), *Counselling adult survivors of child sexual abuse*, Londres, Jessica Kingsley Publishers.

Sebold, A. (2004), *Afortunada*, Barcelona, Mondadori.

Simonds, S. L. (1994), *Bridging the silence: nonverbal modalities in the treatment of adult survivors of childhood sexual abuse*, Nueva York, W. W. Norton and Company.

Sociedad Británica de Psicología (2002), *La naturaleza de la hipnosis*, Valencia, Promolibro.

Soria, M. A. y Hernández, J. A. (1994), *El agresor sexual y la víctima. Una aproximación desde la psicología jurídica y forense*, Barcelona, Boixareu Universitaria.

Suárez-Mira, C. (2002), «Los delitos de agresiones y abusos sexuales contra menores», en Lameiras, M. (comp.), *Abusos sexuales en la infancia: abordaje psicológico y jurídico*, Madrid, Biblioteca Nueva, págs. 41-59.

Terradas Saborit, I. (2002), «Legitimaciones históricas de la violación», en Redondo, S. (comp.), *Delincuencia sexual y sociedad*, Barcelona, Ariel, págs. 87-105.

Velázquez, S. (2003), *Violencias cotidianas, violencia de género*, Buenos Aires, Paidós.

Villegas, M. (1995), «Patologías de la libertad (I), La agorafobia o la restricción del espacio», *Revista de psicoterapia*, vol. 21, págs. 17-39.

— (1996), «Análisis de la demanda», *Revista de psicoterapia*, vols. 26-27, págs. 25-78.

Weber, G. (1999), *Felicidad dual: Bert Hellinger y su psicoterapia sistémica*, Barcelona, Herder.

White, Ch. y Durrant, M. (1996), *Terapia del abuso sexual*, Barcelona, Gedisa.

White, M. (1996), *Guías para una terapia familiar sistémica*, Barcelona, Gedisa.

White, M. y Epston, D. (1993), *Medios narrativos para fines terapéuticos*, Barcelona, Paidós.